El arte de amar

PAIDOS STUDIO

Otras obras de E. Fromm publicadas por Ediciones Paidós:

Erich Fromm

EL ARTE DE AMAR

*Una investigación sobre la
naturaleza del amor*

ediciones
PAIDOS

**Barcelona
Buenos Aires
México**

Título original: *The Art of Loving*
Publicado en inglés por Harper and Brothers, Nueva York
(World Perspective Series)

Traducción de Noemi Rosenblatt

Cubierta de Julio Vivas

6.ª reimpresión en España, 1985

ISBN: 84-7509-036-2
Depósito legal: B-273/1985

Impreso en Romanyà/Valls;
Verdaguer, 1; Capellades (Barcelona)

Impreso en España - Printed in Spain

ÍNDICE

PREFACIO

La lectura de este libro defraudará a quien espere fáciles enseñanzas en el arte de amar. Por el contrario, la finalidad del libro es demostrar que el amor no es un sentimiento fácil para nadie, sea cual fuere el grado de madurez alcanzado. Su finalidad es convencer al lector de que todos sus intentos de amar están condenados al fracaso, a menos que procure, del modo más activo, desarrollar su personalidad total, en forma de alcanzar una orientación productiva; y de que la satisfacción en el amor individual no puede lograrse sin la capacidad de amar al prójimo, sin humildad, coraje, fe y disciplina. En una cultura en la cual esas cualidades son raras, también ha de ser rara la capacidad de amar. Quien no lo crea, que se pregunte a sí mismo a cuántas personas verdaderamente capaces de amar ha conocido.

Pero la dificultad de la empresa no debe inducir a que se abstenga uno de tratar de conocer las dificultades y las condiciones de su consecución. A fin de evitar complicaciones innecesarias he procurado tratar el problema, en la mayor medida posible, en un lenguaje no técnico. Por la misma razón he hecho la menor cantidad de referencias a la literatura sobre el amor.

Otro problema que no pude resolver en forma enteramente satisfactoria, fue el de evitar la repetición de ideas expuestas en algunos de mis libros anteriores.

En particular, es el lector familiarizado con *El miedo a la libertad, Etica y psicoanálisis,* y *Psicoanálisis de la sociedad contemporánea,* quien encontrará en el presente libro muchas ideas expresadas ya en aquéllos. Sin embargo, *El arte de amar* en modo alguno es una recapitulación. Presenta muchas ideas más allá de las anteriormente expresadas, y, como es natural, también las viejas adquieren a veces perspectivas nuevas por el hecho de centrarse alrededor de un tema, el del arte de amar.

ERICH FROMM

Quien no conoce nada, no ama nada. Quien no puede hacer nada, no comprende nada. Quien nada comprende, nada vale. Pero quien comprende también ama, observa, ve... Cuanto mayor es el conocimiento inherente a una cosa, más grande es el amor... Quien cree que todas las frutas maduran al mismo tiempo que las frutillas nada sabe acerca de las uvas.

PARACELSO

I

¿ES EL AMOR UN ARTE?

¿Es el amor un arte? En tal caso, requiere conocimiento y esfuerzo. ¿O es el amor una sensación placentera, cuya experiencia es una cuestión de azar, algo con lo que uno «tropieza» si tiene suerte? Este libro se basa en la primera premisa, si bien es indudable que la mayoría de la gente de hoy cree en la segunda.

No se trata de que la gente piense que el amor carece de importancia. En realidad, todos están sedientos de amor; ven innumerables películas basadas en historias de amor felices y desgraciadas, escuchan centenares de canciones triviales que hablan del amor, y, sin embargo, casi nadie piensa que hay algo que aprender acerca del amor.

Esa peculiar actitud se basa en varias premisas que, individualmente o combinadas, tienden a sustentarla. Para la mayoría de la gente, el problema del amor consiste fundamentalmente en *ser amado,* y no en *amar,* no en la propia capacidad de amar. De ahí que para ellos el problema sea cómo lograr que se los ame, cómo ser dignos de amor. Para alcanzar ese objetivo, siguen varios caminos. Uno de ellos, utilizado en especial por los hombres, es tener éxito, ser tan poderoso y rico como lo permita el margen social de la propia posición. Otro, usado particularmente por las mujeres, consiste en ser atractivas, por medio del cuidado del cuerpo, la ropa, etc. Existen otras formas de hacerse atractivo, que utilizan tanto los hombres como las mujeres, tales como tener modales agradables y

conversación interesante, ser útil, modesto, inofensivo. Muchas
de las formas de hacerse querer son iguales a las que se utilizan
para alcanzar el éxito, para «ganar amigos e influir sobre la
gente». En realidad, lo que para la mayoría de la gente de nuestra cultura equivale a digno de ser amado es, en esencia, una
mezcla de popularidad y *sex-appeal*.

La segunda premisa que sustenta la actitud de que no hay
nada que aprender sobre el amor, es la suposición de que el
problema del amor es el de un *objeto* y no de una *facultad*. La
gente cree que *amar* es sencillo y lo difícil encontrar un objeto
apropiado para amar —o para ser amado por él—. Tal actitud
tiene varias causas, arraigadas en el desarrollo de la sociedad
moderna. Una de ellas es la profunda transformación que se
produjo en el siglo veinte con respecto a la elección del «objeto
amoroso». En la era victoriana, así como en muchas culturas
tradicionales, el amor no era generalmente una experiencia personal espontánea que podía llevar al matrimonio. Por el contrario, el matrimonio se efectuaba por un convenio —entre las
respectivas familias o por medio de un agente matrimonial, o
también sin la ayuda de tales intermediarios; se realizaba sobre
la base de consideraciones sociales, partiendo de la premisa de
que el amor surgiría después de concertado el matrimonio—.
En las últimas generaciones el concepto de amor romántico se
ha hecho casi universal en el mundo occidental. En los Estados
Unidos de Norteamérica, si bien no faltan consideraciones de
índole convencional, la mayoría de la gente aspira a encontrar
un «amor romántico», a tener una experiencia personal del
amor que lleve luego al matrimonio. Ese nuevo concepto de la
libertad en el amor debe haber acrecentado enormemente la
importancia del *objeto* frente a la de la *función*.

Hay en la cultura contemporánea otro rasgo característico,
estrechamente vinculado con ese factor. Toda nuestra cultura
está basada en el deseo de comprar, en la idea de un intercambio mutuamente favorable. La felicidad del hombre moderno
consiste en la excitación de contemplar las vidrieras de los ne-

gocios, y en comprar todo lo que pueda, ya sea al contado o a
plazos. El hombre (o la mujer) considera a la gente en una
forma similar. Una mujer o un hombre atractivos son los pre-
mios que se quiere conseguir. «Atractivo» significa habitualmente un buen conjunto de cualidades que son populares y por
las cuales hay demanda en el mercado de la personalidad. Las
características específicas que hacen atractiva a una persona
dependen de la moda de la época, tanto física como mental-
mente. Durante los años que siguieron a la Primera Guerra
Mundial, una joven que bebía y fumaba, emprendedora y sexualmente provocadora, resultaba atractiva; hoy en día la
moda exige más domesticidad y recato. A fines del siglo XIX y
comienzos de éste, un hombre debía ser agresivo y ambicioso
—hoy tiene que ser sociable y tolerante— para resultar atractivo. De cualquier manera, la sensación de enamorarse sólo se
desarrolla con respecto a las mercaderías humanas que están
dentro de nuestras posibilidades de intercambio. Quiero hacer
un buen negocio; el objeto debe ser deseable desde el punto de
vista de su valor social y, al mismo tiempo, debo resultarle deseable, teniendo en cuenta mis valores y potencialidades manifiestas y ocultas. De ese modo, dos personas se enamoran
cuando sienten que han encontrado el mejor objeto disponible
en el mercado, dentro de los límites impuestos por sus propios
valores de intercambio. Lo mismo que cuando se compran bienes raíces, suele ocurrir que las potencialidades ocultas suscep-
tibles de desarrollo desempeñan un papel de considerable importancia en tal transacción. En una cultura en la que preva-
lece la orientación mercantil y en la que el éxito material constituye el valor predominante, no hay en realidad motivos para
sorprenderse de que las relaciones amorosas humanas sigan el
mismo esquema de intercambio que gobierna el mercado de
bienes y de trabajo.

El tercer error que lleva a suponer que no hay nada que
aprender sobre el amor, radica en la confusión entre la experiencia inicial del *"enamorarse"* y la situación permanente de

estar enamorado, o, mejor dicho, de «permanecer» enamorado. Si dos personas que son desconocidas la una para la otra, como lo somos todos, dejan caer de pronto la barrera que las separa, y se sienten cercanas, se sienten uno, ese momento de unidad constituye uno de los más estimulantes y excitantes de la vida. Y resulta aún más maravilloso y milagroso para aquellas personas que han vivido encerradas, aisladas, sin amor. Ese milagro de súbita intimidad suele verse facilitado si se combina o inicia con la atracción sexual y su consumación. Sin embargo, tal tipo de amor es, por su misma naturaleza, poco duradero. Las dos personas llegan a conocerse bien, su intimidad pierde cada vez más su carácter milagroso, hasta que su antagonismo, sus desilusiones, su aburrimiento mutuo, terminan por matar lo que pueda quedar de la excitación inicial. No obstante, al comienzo no saben todo esto: en realidad, consideran la intensidad del apasionamiento, ese estar «locos» el uno por el otro, como una prueba de la intensidad de su amor, cuando sólo muestra el grado de su soledad anterior.

Esa actitud —que no hay nada más fácil que amar— sigue siendo la idea prevaleciente sobre el amor, a pesar de las abrumadoras pruebas de lo contrario. Prácticamente no existe ninguna otra actividad o empresa que se inicie con tan tremendas esperanzas y expectaciones, y que, no obstante, fracase tan a menudo como el amor. Si ello ocurriera con cualquier otra actividad, la gente estaría ansiosa por conocer los motivos del fracaso y por corregir sus errores —o renunciaría a la actividad—. Puesto que lo último es imposible en el caso del amor, sólo parece haber una forma adecuada de superar el fracaso del amor, y es examinar las causas de tal fracaso y estudiar el significado del amor.

El primer paso a dar es tomar conciencia de que *el amor es un arte,* tal como es un arte el vivir. Si deseamos aprender a amar debemos proceder en la misma forma en que lo haríamos si quisiéramos aprender cualquier otro arte, música, pintura, carpintería o el arte de la medicina o la ingeniería.

¿Cuáles son los pasos necesarios para aprender cualquier arte?

El proceso de aprender un arte puede dividirse convenientemente en dos partes: una, el dominio de la teoría; la otra, el dominio de la práctica. Si quiero aprender el arte de la medicina, primero debo conocer los hechos relativos al cuerpo humano y a las diversas enfermedades. Una vez adquirido todo ese conocimiento teórico, aún no soy en modo alguno competente en el arte de la medicina. Sólo llegaré a dominarlo después de mucha práctica, hasta que eventualmente los resultados de mi conocimiento teórico y los de mi práctica se fundan en uno, mi intuición, que es la esencia del dominio de cualquier arte. Pero aparte del aprendizaje de la teoría y la práctica, un tercer factor es necesario para llegar a dominar cualquier arte —el dominio de ese arte debe ser un asunto de fundamental importancia; nada en el mundo debe ser más importante que el arte. Esto es válido para la música, la medicina, la carpintería y el amor—. Y quizá radique ahí el motivo de que la gente de nuestra cultura, a pesar de sus evidentes fracasos, sólo en tan contadas ocasiones trata de aprender ese arte. No obstante el profundo anhelo de amor, casi todo lo demás tiene más importancia que el amor: éxito, prestigio, dinero, poder; dedicamos casi toda nuestra energía a descubrir la forma de alcanzar esos objetivos y muy poca a aprender el arte del amor.

¿Sucede acaso que sólo se consideran dignas de ser aprendidas las cosas que pueden proporcionarnos dinero o prestigio, y que el amor, que «sólo» beneficia al alma, pero que no proporciona ventajas en el sentido moderno, sea un lujo por el cual no tenemos derecho a gastar muchas energías? Sea como fuere, este estudio ha de referirse al arte de amar en el sentido de las divisiones antes mencionadas: primero, examinaré la teoría del amor —lo cual abarcará la mayor parte del libro—, y luego analizaré la práctica del amor, si bien es muy poco lo que puede *decirse* sobre la práctica de éste como en cualquier otro campo.

II

LA TEORÍA DEL AMOR

1. EL AMOR, LA RESPUESTA AL PROBLEMA DE LA EXISTENCIA HUMANA

Cualquier teoría del amor debe comenzar con una teoría del hombre, de la existencia humana. Si bien encontramos amor, o más bien, el equivalente del amor, en los animales, sus afectos constituyen fundamentalmente una parte de su equipo instintivo, del que sólo algunos restos operan en el hombre. Lo esencial en la existencia del hombre es el hecho de que ha emergido del reino animal, de la adaptación instintiva, de que ha trascendido la naturaleza —si bien jamás la abandona y siempre forma parte de ella— y, sin embargo, una vez que se ha arrancado de la naturaleza, ya no puede retornar a ella, una vez arrojado del paraíso —un estado de unidad original con la naturaleza— querubines con espadas flameantes le impiden el paso si trata de regresar. El hombre sólo puede ir hacia adelante desarrollando su razón, encontrando una nueva armonía humana en reemplazo de la prehumana que está irremediablemente perdida.

Cuando el hombre nace, tanto la raza humana como el individuo, se ve arrojado de una situación definida, tan definida como los instintos, hacia una situación indefinida, incierta, abierta. Sólo existe certeza con respecto al pasado, y con respecto al futuro, la certeza de la muerte.

El hombre está dotado de razón, es *vida consciente de sí misma;* tiene conciencia de sí mismo, de sus semejantes, de su pasado y de las posibilidades de su futuro. Esa conciencia de sí mismo como una entidad separada, la conciencia de su breve lapso de vida, del hecho de que nace sin que intervenga su voluntad y ha de morir contra su voluntad, de que morirá antes que los que ama, o éstos antes que él, la conciencia de su soledad y su «separatidad» *, de su desvalidez frente a las fuerzas de la naturaleza y de la sociedad, todo ello hace de su existencia separada y desunida una insoportable prisión. Se volvería loco si no pudiera liberarse de su prisión y extender la mano para unirse en una u otra forma con los demás hombres, con el mundo exterior.

La vivencia de la separatidad provoca angustia; es, por cierto, la fuente de toda angustia. Estar separado significa estar aislado, sin posibilidad alguna para utilizar mis poderes humanos. De ahí que estar separado signifique estar desvalido, ser incapaz de aferrar el mundo —las cosas y las personas— activamente; significa que el mundo puede invadirme sin que yo pueda reaccionar. Así, pues, la separatidad es la fuente de una intensa angustia. Por otra parte, produce vergüenza y un sentimiento de culpa. El relato bíblico de Adán y Eva expresa esa experiencia de culpa y vergüenza en la separatidad. Después de haber comido Adán y Eva del fruto del «árbol del conocimiento del bien y del mal», después de haber desobedecido (el bien y el mal no existen si no hay libertad para desobedecer), después de haberse vuelto humanos al emanciparse de la originaria armonía animal con la naturaleza, es decir, después de su nacimiento como seres humanos, vieron «que estaban desnudos y tuvieron vergüenza». ¿Debemos suponer que un mito tan antiguo y elemental como ése comparte la mojigatería del enfoque moralista del siglo XIX, y que el punto importante que el relato quiere transmitirnos es la turbación de Adán y Eva porque sus genitales eran visibles? Es muy difícil que así sea, y si interpretamos el relato con un espíritu victoriano, pasamos por

---

* O estado de separación. En inglés: *separateness*. [T.]

alto el punto principal, que parece ser el siguiente: después que hombre y mujer se hicieron conscientes de sí mismos y del otro, tuvieron conciencia de su separatidad, y de la diferencia entre ambos, en la medida en que pertenecían a sexos distintos. Pero, al reconocer su separatidad, siguen siendo desconocidos el uno para el otro, porque aún no han aprendido a amarse (como lo demuestra el hecho de que Adán se defiende, acusando a Eva, en lugar de tratar de defenderla). *La conciencia de la separación humana —sin la reunión por el amor— es la fuente de la vergüenza. Es, al mismo tiempo, la fuente de la culpa y la angustia.*

La necesidad más profunda del hombre es, entonces, la necesidad de superar su separatidad, de abandonar la prisión de su soledad. El fracaso *absoluto* en el logro de tal finalidad significa la locura, porque el pánico del aislamiento total sólo puede vencerse por medio de un retraimiento tan radical del mundo exterior que el sentimiento de separación se desvanece —porque el mundo exterior, del cual se está separado, ha desaparecido—.

El hombre —de todas las edades y culturas— enfrenta la solución de un problema que es siempre el mismo: el problema de cómo superar la separatidad, cómo lograr la unión, cómo trascender la propia vida individual y encontrar compensación. El problema es el mismo para el hombre primitivo que habita en cavernas, el nómada que cuida de sus rebaños, el pastor egipcio, el mercader fenicio, el soldado romano, el monje medieval, el samurai japonés, el empleado y el obrero modernos. El problema es el mismo, puesto que surge del mismo terreno: la situación humana, las condiciones de la existencia humana. La respuesta varía. La solución puede alcanzarse por medio de la adoración de animales, del sacrificio humano o las conquistas militares, por la complacencia en la lujuria, el renunciamiento ascético, el trabajo obsesivo, la creación artística, el amor a Dios y el amor al Hombre. Y si bien las respuestas son muchas —su crónica constituye la historia humana— no son, empero, innumerables. Por el contrario, en cuanto se dejan de lado las diferencias menores, que corresponden más a la periferia que al centro, se descubre que el hombre sólo ha dado un número limitado de respuestas, y que no pudo haber dado más, en las diversas culturas en que vivió. La historia de la religión y de la filosofía es la historia de esas respuestas, de su diversidad, así como de su limitación en cuanto al número.

Las respuestas dependen, en cierta medida, del grado de individualización alcanzado por el individuo. En el infante, la yoidad se ha desarrollado apenas; él aún se siente uno con su madre, no experimenta el sentimiento de separatidad mientras su madre está presente. Su sensación de soledad es creada por la presencia física de la madre, sus pechos, su piel. Sólo en el grado que el niño desarrolla su sensación de separatidad e individualidad, la presencia física de la madre deja de ser suficiente y surge la necesidad de superar de otras maneras la separatidad.

De manera similar, la raza humana, en su infancia, se siente una con la naturaleza. El suelo, los animales, las plantas, constituyen aún el mundo del hombre, quien se identifica con los animales, como lo expresa el uso que hace de máscaras animales, la adoración de un animal totémico o de dioses animales. Pero cuanto más se libera la raza humana de tales vínculos primarios, más intensa se torna la necesidad de encontrar nuevas formas de escapar del estado de separación.

Una forma de alcanzar tal objetivo consiste en diversas clases de *estados orgiásticos*. Estos pueden tener la forma de un trance autoinducido, a veces con la ayuda de drogas. Muchos rituales de tribus primitivas ofrecen un vívido cuadro de ese tipo de solución. En un estado transitorio de exaltación, el mundo exterior desaparece, y con él el sentimiento de separatidad con respecto al mismo. Puesto que tales rituales se practican en común, se agrega una experiencia de fusión con el grupo que hace aún más efectiva esa solución. En estrecha relación con la solución orgiástica, y frecuentemente unida a ella, está la experiencia sexual. El orgasmo sexual puede producir un estado similar al provocado por un trance o a los efectos de ciertas drogas. Los ritos de orgías sexuales comunales formaban parte de muchos rituales primitivos. Según parece, el hombre puede seguir durante cierto tiempo, después de la experiencia orgiástica, sin sufrir demasiado a causa de su separatidad. Lentamente, la tensión de la angustia comienza a aumentar, y disminuye otra vez por medio de la repetición del ritual.

Mientras tales estados orgiásticos constituyen una práctica común en una tribu, no producen angustia o culpa. Participar en ellos es correcto, e inclusive es virtuoso, puesto que constituyen una forma compartida por todos, aprobada y exigida por los médicos brujos o los sacerdotes; de ahí que no existan motivos para sentirse culpable o avergonzado. La situación es enteramente distinta cuando un individuo elige esa solución en una cultura que ha dejado atrás tales prácticas comunes. En una cultura no orgiástica, el alcohol y las drogas son los medios a su disposición. En contraste con los que participan en la solución socialmente aceptada, tales individuos experimentan sentimientos de culpa y remordimiento. Tratan de escapar de la separatidad refugiándose en el alcohol o las drogas; pero cuando la experiencia orgiástica concluye, se sienten más separados aún, y ello los impulsa a recurrir a tal experiencia con frecuencia e intensidad crecientes. La solución orgiástica sexual presenta leves diferencias. En cierta medida, constituye una forma natural y normal de superar la separatidad, y una solución parcial al problema del aislamiento. Pero en muchos individuos que no pueden aliviar de otras maneras el estado de separación, la búsqueda del orgasmo sexual asume un carácter que lo asemeja bastante al alcoholismo o la afición a las drogas. Se convierte en un desesperado intento de escapar a la angustia que engendra la separatidad y provoca una sensación cada vez mayor de separación, puesto que el acto sexual sin amor nunca elimina el abismo que existe entre dos seres humanos, excepto en forma momentánea.

Todas las formas de unión orgiástica tienen tres características: son intensas, incluso violentas; ocurren en la personalidad total, mente y cuerpo; son transitorias y periódicas. Exactamente lo contrario ocurre en esa forma de unión que está lejos de ser la solución que con mayor frecuencia eligió el hombre en el pasado y en el presente: la unión basada en la *conformidad* con el grupo, sus costumbres, prácticas y creencias. Volvemos a encontrar aquí una evolución considerable.

En una sociedad primitiva el grupo es pequeño; está integrado por aquellos que comparten la sangre y el suelo. Con el desarrollo creciente de la cultura, el grupo se extiende; se convierte en la ciudadanía de una *polis*, de un gran Estado, los miembros de una iglesia. Hasta el romano indigente se sentía orgulloso de poder decir *civis romanus sum*; Roma y el Imperio eran su familia, su hogar, su mundo. También en la sociedad occidental contemporánea la unión con el grupo es la forma predominante de superar el estado de separación. Se trata de una unión en la que el ser individual desaparece en gran medida, y cuya finalidad es la pertenencia al rebaño. Si soy como todos los demás, si no tengo sentimientos o pensamientos que me hagan diferente, si me adapto en las costumbres, las ropas, las ideas, al patrón del grupo, estoy salvado; salvado de la temible experiencia de la soledad. Los sistemas dictatoriales utilizan amenazas y el terror para inducir esta conformidad; los países democráticos, la sugestión y la propaganda. Indudablemente, hay una gran diferencia entre los dos sistemas. En las democracias, la no conformidad es posible, y en realidad, no está totalmente ausente; en los sistemas totalitarios, sólo unos pocos héroes y mártires insólitos se niegan a obedecer. Pero, a pesar de esa diferencia, las sociedades democráticas muestran un abrumador grado de conformidad. La razón radica en el hecho de que *debe* existir una respuesta a la búsqueda de unión, y, a falta de una distinta o mejor, la conformidad con el rebaño se convierte en la forma predominante. El poder del miedo a ser diferente, a estar solo unos pocos pasos alejado del rebaño, resulta evidente si se piensa cuán profunda es la necesidad de no estar separado. A veces el temor a la no conformidad se racionaliza como miedo a los peligros prácticos que podrían amenazar al rebelde. Pero en realidad la gente quiere someterse en un grado mucho más alto de lo que está *obligada* a hacerlo, por lo menos en las democracias occidentales.

La mayoría de las gentes ni siquiera tienen conciencia de su necesidad de conformismo. Viven con la ilusión de que son individualistas, de que han llegado a determinadas conclusiones como resultado de sus propios pensamientos —y que simplemente sucede que sus ideas son iguales que las de la mayoría—. El consenso de todos sirve como prueba de la corrección de «sus» ideas. Puesto que aún tienen necesidad de sentir alguna individualidad, tal necesidad se satisface en lo relativo a diferencias menores; las iniciales en la cartera o en la camisa, la afiliación al partido Demócrata en lugar del Republicano, a los Elks en vez de los Shriners, se convierte en la expresión de las diferencias individuales. El lema publicitario «es distinto» nos demuestra esa patética necesidad de diferencia, cuando, en realidad, casi no existe ninguna.

Esa creciente tendencia a eliminar las diferencias se relaciona estrechamente con el concepto y la experiencia de igualdad, tal como se está desarrollando en las sociedades industriales más avanzadas. En un contexto religioso, igualdad significó que todos somos hijos de Dios, que todos compartimos la misma sustancia humano-divina, que todos somos uno. Significaba también que deben respetarse las diferencias entre los individuos, que, si bien es cierto que todos somos uno, también lo es que cada uno de nosotros constituye una entidad única, un cosmos en sí mismo. Tal convicción acerca de la unicidad del individuo se expresa, por ejemplo, en la sentencia talmúdica: «Quien salva una sola vida, es como si hubiera salvado a todo el mundo; quien destruye una sola vida, es como si hubiera destruido a todo el mundo.» La igualdad como una condición para el desarrollo de la individualidad fue, asimismo, el significado de este concepto en la filosofía del iluminismo occidental. Denotaba (como lo formuló muy claramente Kant) que ningún hombre debe ser un medio para que otro hombre realice sus fines. Que todos los hombres son iguales en la medida en que son finalidades, y sólo finalidades, y nunca medios los unos para los otros. Continuando las ideas del iluminismo, los pensadores socialistas de diversas escuelas definieron la igualdad como la abolición de la explotación, del uso del hombre por el hombre, fuera ese uso cruel o «humanitario».

En la sociedad capitalista contemporánea, el significado del término igualdad se ha transformado. Por él se entiende la igualdad de los autómatas, de hombres que han perdido su individualidad. *Hoy en día, igualdad significa «identidad» antes que «unidad».* Es la identidad de las abstracciones, de los hombres que trabajan en los mismos empleos, que tienen idénticas diversiones, que leen los mismos periódicos, que tienen idénticos pensamientos e ideas. En este sentido, también deben recibirse con cierto escepticismo algunas conquistas generalmente celebradas como signos de progreso, tales como la igualdad de las mujeres. Me parece innecesario aclarar que no estoy en contra de tal igualdad; pero los aspectos positivos de esa tendencia a la igualdad no deben engañarnos. Forman parte del movimiento hacia la eliminación de las diferencias. Tal es el precio que se paga por la igualdad: las mujeres son iguales porque ya no son diferentes. La proposición de la filosofía del iluminismo, *l'âme n'a pas de sexe,* el alma no tiene sexo, se ha convertido en práctica general. La polaridad de los sexos está desapareciendo, y con ella el amor erótico, que se basa en dicha polaridad. Hombres y mujeres son *idénticos,* no *iguales* como polos opuestos. La sociedad contemporánea predica el ideal de la igualdad no individualizada, porque necesita átomos humanos, todos idénticos, para hacerlos funcionar en masa, suavemente, sin fricción; todos obedecen las mismas órdenes, y no obstante, todos están convencidos de que siguen sus propios deseos. Así como la moderna producción en masa requiere la estandarización de los productos, así el proceso social requiere la estandarización del hombre, y esa estandarización es llamada «igualdad».

La unión por la conformidad no es intensa y violenta; es calma, dictada por la rutina, y por ello mismo, suele resultar insuficiente para aliviar la angustia de la separatidad. La frecuencia del alcoholismo, la afición a las drogas, la sexualidad compulsiva y el suicidio en la sociedad occidental contemporánea constituyen los síntomas de ese fracaso relativo de la conformidad tipo rebaño. Más aún, tal solución afecta fundamentalmente a la mente, y no al cuerpo, por lo cual es menos efectiva que las soluciones orgiásticas. La conformidad tipo rebaño ofrece tan sólo una ventaja: es permanente, y no espasmódica. El individuo es introducido en el patrón de conformidad a la edad de tres o cuatro años, y a partir de ese momento, nunca pierde el contacto con el rebaño. Aun su funeral, que él anticipa como su última actividad social importante, está estrictamente de acuerdo con el patrón.

Además de la conformidad como forma de aliviar la angustia que surge de la separatidad, debemos considerar otro factor de la vida contemporánea: el papel de la rutina en el trabajo y en el placer. El hombre se convierte en «ocho horas de trabajo», forma parte de la fuerza laboral, de la fuerza burocrática de empleados y empresarios. Tiene muy poca iniciativa, sus tareas están prescritas por la organización del trabajo; incluso hay muy poca diferencia entre los que están en los peldaños inferiores de la escala y los que han llegado más arriba. Aun los sentimientos están prescritos: alegría, tolerancia, responsabilidad, ambición y habilidad para llevarse bien con todo el mundo sin inconvenientes. Las diversiones están rutinizadas en forma similar, aunque no tan drástica. Los clubs del libro seleccionan el material de lectura; los dueños de cinematógrafos y salas de espectáculos, las películas, y pagan, además, la propaganda respectiva; el resto también es uniforme: el paseo

en auto del domingo, la sesión de televisión, la partida de nai-
pes, las reuniones sociales. Desde el nacimiento hasta la
muerte, de lunes a lunes, de la mañana a la noche: todas las actividades están rutinizadas y prefabricadas. ¿Cómo puede un
hombre preso en esa red de actividades rutinarias recordar que
es un hombre, un individuo único, al que sólo le ha sido otor-
gada una única oportunidad de vivir, con esperanzas y desilusiones, con dolor y temor, con el anhelo de amar y el miedo a
la nada y a la separatidad?

Una tercera manera de lograr la unión reside en la *actividad creadora*, sea la del artista o la del artesano. En cualquier
tipo de tarea creadora, la persona que crea se une con su material, que representa el mundo exterior a él. Sea un carpintero
que construye una mesa, un joyero que fabrica una joya, el
campesino que siembra el trigo o el pintor que pinta una tela,
en todos los tipos de trabajo creador el individuo y su objeto se
tornan uno, el hombre se une al mundo en el proceso de creación. Esto, sin embargo, sólo es válido para el trabajo productivo, para la tarea en la que *yo* planeo, produzco, veo el resultado de mi labor. Actualmente en el proceso de trabajo de un
empleado o un obrero en la interminable cadena, poco queda
de esa cualidad unificadora del trabajo. El trabajador se convierte en un apéndice de la máquina o de la organización burocrática. Ha dejado de ser él, y por eso mismo no se produce
ninguna unión aparte de la que se logra por medio de la conformidad.

La unidad alcanzada por medio del trabajo productivo no
es interpersonal; la que se logra en la fusión orgiástica es transitoria; la proporcionada por la conformidad es sólo pseudo-
unidad. Por lo tanto, constituyen meras respuestas parciales al
problema de la existencia. La solución plena está en el logro de
la unión interpersonal, la fusión con otra persona, en el *amor*.

Ese deseo de fusión interpersonal es el impulso más poderoso que existe en el hombre. Constituye su pasión más fundamental, la fuerza que sostiene a la raza humana, al clan, a la

familia y a la sociedad. La incapacidad para alcanzarlo significa insania o destrucción —de sí mismo o de los demás—. Sin amor, la humanidad no podría existir un día más. Sin embargo, si llamamos «amor» al logro de la unión interpersonal, nos vemos frente a una seria dificultad. La fusión puede lograrse en distintas formas —y las diferencias no son menos significaticas que lo que tienen de común las diversas formas del amor—. ¿Deberíamos llamar amor a todas ellas? ¿O tendríamos que reservar la palabra amor únicamente para una forma específica de unión, una forma que ha sido la virtud ideal de todas las grandes religiones y sistemas filosóficos humanísticos en los cuatro mil años de historia occidental y oriental?

Como ocurre con todas las dificultades semánticas, la respuesta sólo puede ser arbitraria. Lo importante es que sepamos a qué clase de unión nos referimos cuando hablamos de amor. ¿Trátase del amor como solución madura al problema de la existencia, o nos referimos a esas formas inmaduras de amar que podríamos llamar *unión simbiótica*? En los pasajes siguientes sólo usaré el término amor para designar la primera alternativa. Comenzaré el examen del «amor» con la segunda.

La *unión simbiótica* tiene su patrón biológico en la relación entre la madre embarazada y el feto. Son dos y, sin embargo, uno solo. Viven «juntos» (*sym-biosis*), se necesitan mutuamente. El feto es parte de la madre y recibe de ella cuanto necesita; la madre es su mundo, por así decirlo; lo alimenta, lo protege, pero también su propia vida se ve realzada por él. En la unión simbiótica *psíquica,* los dos cuerpos son independientes, pero psicológicamente existe el mismo tipo de relación.

La forma *pasiva* de la unión simbiótica es la *sumisión,* o, para usar un término clínico, el *masoquismo.* La persona masoquista escapa del intolerable sentimiento de aislamiento y separatidad convirtiéndose en una parte de otra persona que la dirige, la guía, la protege, que es su vida y el aire que respira, por así decirlo. Se exagera el poder de aquel al que uno se somete, se trate de una persona o de un dios; él es todo, yo soy

nada, salvo en la medida en que formo parte de él. Como tal,
comparto su grandeza, su poder, su seguridad. La persona masoquista no tiene que tomar decisiones, ni correr riesgos;
nunca está sola, pero no es independiente; carece de integridad; no ha nacido aún totalmente. En un contexto religioso, el
objeto de la adoración recibe el nombre de ídolo; en el contexto
secular de la relación amorosa masoquista, el mecanismo esencial, de idolatría, es el mismo. La relación masoquista puede
estar mezclada con deseo físico, sexual; en tal caso, trátase de
una sumisión de la que no sólo participa la mente, sino también
todo el cuerpo. Puede ser una sumisión masoquista ante el destino, la enfermedad, la música rítmica, el estado orgiástico producido por drogas o por un trance hipnótico; en todos los casos la persona renuncia a su integridad, se convierte en un instrumento de alguien o algo exterior a él; no necesita resolver el
problema de la existencia por medio de la actividad productiva.

La forma *activa* de la fusión simbiótica es la dominación,
o, para utilizar el término correspondiente a masoquismo, el
sadismo. La persona sádica quiere escapar de su soledad y de
su sensación de estar aprisionada haciendo de otro individuo
una parte de sí misma. Se siente acrecentada y realzada incor-
porando a otra persona, que la adora.

La persona sádica es tan dependiente de la sumisa como
ésta de aquélla; ninguna de las dos puede vivir sin la otra. La
diferencia sólo radica en que la persona sádica domina, ex-
plota, lastima y humilla, y la masoquista es dominada, explo-
tada, lastimada y humillada. En un sentido realista, la diferencia es considerable; en un sentido emocional profundo, la diferencia no es mayor que lo que ambas tienen en común: la fusión sin integridad. Desde ese punto de vista, tampoco es sorprendente encontrar que, por lo general, una persona reacciona
tanto en forma sádica como masoquista, habitualmente con
respecto a objetos diferentes. Hitler reaccionaba sádicamente
frente al pueblo, pero con una actitud masoquista hacia el destino, la historia, el «poder superior» de la naturaleza. Su fin —el

suicidio en medio de la destrucción general— es tan característico como lo fueron sus sueños de éxito —el dominio total[1]—.

En contraste con la unión simbiótica, el *amor* maduro significa *unión a condición de preservar la propia integridad,* la propia individualidad. *El amor es un poder activo en el hombre;* un poder que atraviesa las barreras que separan al hombre de sus semejantes y lo une a los demás; el amor lo capacita para superar su sentimiento de aislamiento y separatidad, y no obstante le permite ser él mismo, mantener su integridad. En el amor se da la paradoja de dos seres que se convierten en uno y, no obstante, siguen siendo dos.

Si decimos que el amor es una actividad, nos vemos frente a una dificultad que reside en el significado ambiguo de la palabra «actividad». En el sentido moderno del término, «actividad» denota una acción que, mediante un gasto de energía, produce un cambio en la situación existente. Así, un hombre es activo si atiende su negocio, estudia medicina, trabaja en una cadena sinfín, construye una mesa, o se dedica a los deportes. Todas esas actividades tienen en común el estar dirigidas hacia una meta exterior. Lo que *no* se tiene en cuenta es la *motivación* de la actividad. Consideremos, por ejemplo, el caso del hombre al que una profunda sensación de inseguridad y soledad impulsa a trabajar incesantemente; o del otro movido por la ambición, o el ansia de riqueza. En todos esos casos, la persona es esclava de una pasión, y, en realidad, su actividad es una «pasividad», puesto que está impulsado; es el que sufre la acción, no el que la realiza. Por otra parte, se considera «pasivo» a un hombre que está sentado, inmóvil y contemplativo, sin otra finalidad o propósito que experimentarse a sí mismo y su unicidad con el mundo, porque no «hace» nada. En realidad, esa actitud de concentrada meditación es la actividad más elevada, una actividad del alma, y sólo es posible bajo la condición de liber-

---

[1] Se encontrará un estudio más detallado del sadismo y del masoquismo en E. Fromm, *El miedo a la libertad,* Ediciones Paidós, 1958.

tad e independencia interiores. Uno de los conceptos de actividad, el moderno, se refiere al uso de energía para el logro de fines exteriores; el otro, al uso de los poderes inherentes del hombre, se produzcan o no cambios externos. Spinoza formuló con suma claridad el segundo concepto de actividad, distinguiendo entre afectos activos y pasivos, entre «acciones» y «pasiones». En el ejercicio de un afecto activo, el hombre es libre, es el amo de su afecto; en el afecto pasivo, el hombre se ve impulsado, es objeto de motivaciones de las que no se percata. Spinoza llega de tal modo a afirmar que la virtud y el poder son una y la misma cosa[2]. La envidia, los celos, la ambición, todo tipo de avidez, son pasiones; el amor es una acción, la práctica de un poder humano, que sólo puede realizarse en la libertad y jamás como resultado de una compulsión.

El amor es una actividad, no un afecto pasivo; es un «estar continuado», no un «súbito arranque». En el sentido más general, puede describirse el carácter activo del amor afirmando que amar es fundamentalmente *dar,* no recibir.

¿Qué es dar? Por simple que parezca la respuesta, está en realidad plena de ambigüedades y complejidades. El malentendido más común consiste en suponer que dar significa «renunciar» a algo, privarse de algo, sacrificarse. La persona cuyo carácter no se ha desarrollado más allá de la etapa correspondiente a la orientación receptiva, experimenta de esa manera el acto de dar. El carácter mercantil está dispuesto a dar, pero sólo a cambio de recibir; para él, dar sin recibir significa una estafa[3]. La gente cuya orientación fundamental no es productiva, vive el dar como un empobrecimiento, por lo que se niega generalmente a hacerlo. Algunos hacen del dar una virtud, en el sentido de un sacrificio. Sienten que, puesto que es doloroso, se *debe* dar, y creen que la virtud de dar está en el acto mismo

---

[2] Spinoza, *Etica* IV, Def. 8.

[3] Un examen detallado de esas orientaciones caracterológicas se encontrará en E. Fromm, *Etica y Psicoanálisis,* México, Fondo de Cultura Económica, 1957, Cap. 3, págs. 70 y sig.

de aceptación del sacrificio. Para ellos, la norma de que es mejor dar que recibir significa que es mejor sufrir una privación que experimentar alegría.

Para el carácter productivo, dar posee un significado totalmente distinto: constituye la más alta expresión de potencia. En el acto mismo de dar, experimento mi fuerza, mi riqueza, mi poder. Tal experiencia de vitalidad y potencia exaltadas me llena de dicha. Me experimento a mí mismo como desbordante, pródigo, vivo, y, por tanto, dichoso[4]. Dar produce más felicidad que recibir, no porque sea una privación, sino porque en el acto de dar está la expresión de mi vitalidad.

Si aplicamos ese principio a diversos fenómenos específicos, advertiremos fácilmente su validez.

Encontramos el ejemplo más elemental en la esfera del sexo. La culminación de la función sexual masculina radica en el acto de dar; el hombre se da a sí mismo, da su órgano sexual, a la mujer. En el momento del orgasmo, le da su semen. No puede dejar de darlo si es potente. Si no puede dar, es impotente. El proceso no es diferente en la mujer, si bien algo más complejo. También ella se da; permite el acceso al núcleo de su feminidad; en el acto de recibir, ella da. Si es incapaz de ese dar, si sólo puede recibir, es frígida. En su caso, el acto de dar vuelve a producirse, no en su función de amante, sino como madre. Ella se da al niño que crece en su interior, le da su leche cuando nace, le da el calor de su cuerpo. No dar le resultaría doloroso.

En la esfera de las cosas materiales, dar significa ser rico. No es rico el que *tiene* mucho, sino el que *da* mucho. El avaro que se preocupa angustiosamente por la posible pérdida de algo es, desde el punto de vista psicológico, un hombre indigente, empobrecido, por mucho que posea. Quien es capaz de dar de sí es rico. Siéntese a sí mismo como alguien que puede

---

[4] Compárese con la definición de la dicha formulada por Spinoza.

entregar a los demás algo de sí. Sólo un individuo privado de
todo lo que está más allá de las necesidades elementales para la
subsistencia sería incapaz de gozar con el acto de dar cosas materiales. La experiencia diaria demuestra, empero, que lo que
cada persona considera necesidades mínimas depende tanto de
su carácter como de sus posesiones reales. Es bien sabido que
los pobres están más inclinados a dar que los ricos. No obstante, la pobreza que sobrepasa un cierto límite puede impedir
dar, y es, en consecuencia, degradante, no sólo a causa del sufrimiento directo que ocasiona, sino porque priva a los pobres
de la alegría de dar.

Sin embargo, la esfera más importante del dar no es la de
las cosas materiales, sino el dominio de lo específicamente humano. ¿Qué le da una persona a otra? Da de sí misma, de lo
más precioso que tiene, de su propia vida. Ello no significa necesariamente que sacrifica su vida por la otra, sino que da lo
que está vivo en él —da de su alegría, de su interés, de su comprensión, de su conocimiento, de su humor, de su tristeza—, de
todas las expresiones y manifestaciones de lo que está vivo en
él. Al dar así de su vida, enriquece a la otra persona, realza el
sentimiento de vida de la otra al exaltar el suyo propio. No da
con el fin de recibir; dar es de por sí una dicha exquisita. Pero,
al dar, no puede dejar de llevar a la vida algo en la otra persona, y eso que nace a la vida se refleja a su vez sobre ella;
cuando da verdaderamente, no puede dejar de recibir lo que se
le da en cambio. Dar implica hacer de la otra persona un da-
dor, y ambas comparten la alegría de lo que han creado. Algo
nace en el acto de dar, y las dos personas involucradas se sienten agradecidas a la vida que nace para ambas. En lo que toca
específicamente al amor, eso significa: el amor es un poder que
produce amor; la impotencia es la incapacidad de producir
amor. Marx ha expresado bellamente este pensamiento: «Su-
pongamos —dice—, al *hombre* como *hombre,* y su relación con
el mundo en su aspecto humano, y podremos intercambiar
amor sólo por amor, confianza por confianza, etc. Si se quiere

disfrutar del arte, se debe poseer una formación artística; si se desea tener influencia sobre otra gente, se debe ser capaz de ejercer una influencia estimulante y alentadora sobre la gente. Cada una de nuestras relaciones con el hombre y con la naturaleza debe ser una expresión definida de nuestra vida *real, individual,* correspondiente al objeto de nuestra voluntad. Si amamos sin producir amor, es decir, si nuestro amor como tal no produce amor, si por medio de una *expresión de vida* como personas que amamos, no nos convertimos en *personas amadas,* entonces nuestro amor es impotente, es una desgracia»[5]. Pero no sólo en lo que atañe al amor dar significa recibir. El maestro aprende de sus alumnos, el auditorio estimula al actor, el paciente cura a su psicoanalista —siempre y cuando no se traten como objetos, sino que estén relacionados entre sí en forma genuina y productiva—.

Apenas si es necesario destacar el hecho de que la capacidad de amar como acto de dar depende del desarrollo caracterológico de la persona. Presupone el logro de una orientación predominantemente productiva, en la que la persona ha superado la dependencia, la omnipotencia narcisista, el deseo de explotar a los demás, o de acumular, y ha adquirido fe en sus propios poderes humanos y coraje para confiar en su capacidad para alcanzar el logro de sus fines. En la misma medida en que carece de tales cualidades, tiene miedo de darse, y, por tanto, de amar.

Además del elemento de dar, el carácter activo del amor se vuelve evidente en el hecho de que implica ciertos elementos básicos, comunes a todas las formas del amor. Esos elementos son: *cuidado, responsabilidad, respeto y conocimiento.*

Que el amor implica *cuidado* es especialmente evidente en el amor de una madre por su hijo. Ninguna declaración de amor por su parte nos parecería sincera si viéramos que des-

---

[5] «Nationalökonomie und Philosophie», 1844, publicada en Karl Marx, *Die Frühschriften,* Stuttgart, Alfred Kröner Verlag, 1953, págs. 300, 301.

cuida al niño, si deja de alimentarlo, de bañarlo, de proporcionarle bienestar físico; y creemos en su amor si vemos que cuida al niño. Lo mismo ocurre incluso con el amor a los animales y las flores. Si una mujer nos dijera que ama las flores, y viéramos que se olvida de regarlas, no creeríamos en su «amor» a las flores. El *amor es la preocupación activa por la vida y el crecimiento de lo que amamos*. Cuando falta tal preocupación activa, no hay amor. En el libro de Jonás se describe en forma sumamente bella este elemento del amor. Dios le ha dicho a Jonás que vaya a Nínive para advertir a sus habitantes que serán castigados si no abandonan sus prácticas perversas. Jonás huye de su misión porque teme que la gente de Nínive se arrepienta y que Dios los perdone. Es un hombre con un poderoso sentido del orden y de la ley, pero sin amor. Sin embargo, al tratar de escapar, se encuentra en el vientre de una ballena, que simboliza el estado de aislamiento y reclusión que ha provocado en él su falta de amor y de solidaridad. Dios lo salva, y Jonás va a Nínive. Predica ante los habitantes tal como Dios se lo ha mandado, y ocurre aquello que él tanto temía. Los hombres de Nínive se arrepienten de sus pecados, abandonan sus malos hábitos, y Dios los perdona y decide no destruir la ciudad. Jonás se siente hondamente enojado y apesadumbrado; él quería «justicia», no misericordia. Por fin encuentra cierto consuelo en la sombra de un árbol que Dios ha hecho crecer para protegerlo del sol. Pero cuando Dios hace que el árbol se seque, Jonás se deprime y se queja airadamente a Dios. Dios responde: «Tuviste tú lástima de la calabacera, en la cual no trabajaste, ni tú la hiciste crecer; que en espacio de una noche nació y en espacio de una noche pereció. ¿Y no tendré yo piedad de Nínive, aquella gran ciudad, donde hay más de ciento veinte mil personas que no conocen su mano derecha ni su mano izquierda, y muchos animales?» La respuesta de Dios a Jonás debe entenderse simbólicamente. Dios le explica a Jonás que la esencia del amor es «trabajar» por algo y «hacer crecer», que el amor y el trabajo son inseparables. Se ama aquello por lo que se trabaja, y se trabaja por lo que se ama.

El cuidado y la preocupación implican otro aspecto del amor: el de la *responsabilidad*. Hoy en día suele usarse ese término para denotar un deber, algo impuesto desde el exterior. Pero la responsabilidad, en su verdadero sentido, es un acto enteramente voluntario, constituye mi respuesta a las necesidades, expresadas o no, de otro ser humano. Ser «responsable» significa estar listo y dispuesto a «responder». Jonás no se sentía responsable ante los habitantes de Nínive. El, como Caín, podía preguntar: «¿Soy yo el guardián de mi hermano?» La persona que ama, responde. La vida de su hermano no es sólo asunto de su hermano, sino propio. Siéntese tan responsable por sus semejantes como por sí mismo. Tal responsabilidad, en el caso de la madre y su hijo, atañe principalmente al cuidado de las necesidades físicas. En el amor entre adultos, a las necesidades psíquicas de la otra persona.

La responsabilidad podría degenerar fácilmente en dominación y posesividad, si no fuera por un tercer componente del amor, el *respeto*. Respeto no significa temor y sumisa reverencia; denota, de acuerdo con la raíz de la palabra (*respicere* = mirar), la capacidad de ver a una persona tal cual es, tener conciencia de su individualidad única. Respetar significa preocuparse por que la otra persona crezca y se desarrolle tal como es. De ese modo, el respeto implica la ausencia de explotación. Quiero que la persona amada crezca y se desarrolle por sí misma, en la forma que les es propia, y no para servirme. Si amo a la otra persona, me siento uno con ella, pero con ella *tal cual es,* no como yo necesito que sea, como un objeto para mi uso. Es obvio que el respeto sólo es posible si *yo* he alcanzado independencia; si puedo caminar sin muletas, sin tener que dominar ni explotar a nadie. El respeto sólo existe sobre la base de la libertad: *«l'amour est l'enfant de la liberté»,* dice una vieja canción francesa; el amor es hijo de la libertad, nunca de la dominación.

Respetar a una persona sin *conocerla,* no es posible; el cui-

dado y la responsabilidad serían ciegos si no los guiara el conocimiento. El conocimiento sería vacío si no lo motivara la
preocupación. Hay muchos niveles de conocimiento; el que
constituye un aspecto del amor no se detiene en la periferia,
sino que penetra hasta el meollo. Sólo es posible cuando puedo
trascender la preocupación por mí mismo y ver a la otra persona en sus propios términos. Puedo saber, por ejemplo, que
una persona está encolerizada, aunque no lo demuestre abiertamente; pero puedo llegar a conocerla más profundamente
aun; sé entonces que está angustiada, e inquieta; que se siente
sola, que se siente culpable. Sé entonces que su cólera no es
más que la manifestación de algo más profundo, y la veo angustiada e inquieta, es decir, como una persona que sufre y no
como una persona enojada.

Pero el conocimiento tiene otra relación, más fundamental,
con el problema del amor. La necesidad básica de fundirse con
otra persona para trascender de ese modo la prisión de la propia separatidad se vincula, de modo íntimo, con otro deseo específicamente humano, el de conocer el «secreto del hombre».
Si bien la vida en sus aspectos meramente biológicos es un milagro y un secreto, el hombre, en sus aspectos humanos, es un
impenetrable secreto para sí mismo —y para sus semejantes—.
Nos conocemos y, a pesar de todos los esfuerzos que podamos
realizar, no nos conocemos. Conocemos a nuestros semejantes
y, sin embargo, no los conocemos, porque no somos una cosa,
y tampoco lo son nuestros semejantes. Cuanto más avanza-
mos hacia las profundidades de nuestro ser, o el ser de los
otros, más nos elude la meta del conocimiento. Sin embargo,
no podemos dejar de sentir el deseo de penetrar en el secreto
del alma humana, en el núcleo más profundo que es «él».

Hay una manera, una manera desesperada, de conocer el
secreto: es el poder absoluto sobre otra persona; el poder que
le hace hacer lo que queremos, sentir lo que queremos, pensar
lo que queremos; que la transforma en una cosa, nuestra cosa,
nuestra posesión. El grado más intenso de ese intento de cono-

cer consiste en los extremos del sadismo, el deseo y la habilidad de hacer sufrir a un ser humano, de torturarlo, de obligarlo
a traicionar su secreto en su sufrimiento. En ese anhelo de penetrar en el secreto del hombre, y por lo tanto, en el nuestro,
reside una motivación esencial de la profundidad y la intensidad de la crueldad y la destructividad. Isaac Babel ha expresado tal idea en una forma muy sucinta. Recuerda a un oficial
compañero suyo en la guerra civil rusa, quien acababa de matar a puntapiés a su ex amo: «Con un disparo —digamos así—,
con un disparo, uno sólo, se libra uno de un tipo... Con un disparo nunca se llega al alma, a dónde está en el tipo y cómo se
presenta. Pero yo no ahorro fuerzas, y más de una vez he piso-
teado a un tipo durante más de una hora. Sabes, quiero llegar a
saber qué es realmente la vida, cómo es la vida»[6].

Es frecuente que los niños tomen abiertamente ese camino
hacia el conocimiento. El niño desarma algo, lo deshace para
conocerlo; o destroza un animal; cruelmente arranca las alas
de una mariposa para conocerla, para obligarla a revelar su secreto. La crueldad misma está motivada por algo más profundo: el deseo de conocer el secreto de las cosas y de la vida.

Otro camino para conocer «el secreto» es el amor. El amor
es la penetración activa en la otra persona, en la que la unión
satisface mi deseo de conocer. En el acto de fusión, te conozco,
me conozco a mí mismo, conozco a todos —y no «conozco»
nada—. Conozco de la única manera en que el conocimiento de
lo que está vivo le es posible al hombre —por la experiencia de
la unión— no mediante algún conocimiento proporcionado por
nuestro pensamiento. El sadismo está motivado por el deseo de
conocer el secreto, y, sin embargo, permanezco tan ignorante
como antes. He destrozado completamente al otro ser, y, sin
embargo, no he hecho más que separarlo en pedazos. El amor
es la única forma de conocimiento, que, en el acto de unión, satisface mi búsqueda. En el acto de amar, de entregarse, en el

---

[6] I. Babel, *The Collected Stories*, Nueva York, Criterion Book, 1955.

acto de penetrar en la otra persona, me encuentro a mí mismo, me descubro, nos descubro a ambos, descubro al hombre.

El anhelo de conocernos a nosotros mismos y de conocer a nuestros semejantes fue expresado en el lema délfico: «Conócete a ti mismo.» Tal es la fuente primordial de toda psicología. Pero puesto que deseamos conocer todo el hombre, su más profundo secreto, el conocimiento corriente, el que procede sólo del pensamiento, nunca puede satisfacer dicho deseo. Aunque llegáramos a conocernos muchísimo más, nunca alcanzaríamos el fondo. Seguiríamos siendo un enigma para nosotros mismos, y nuestros semejantes seguirían siéndolo para nosotros. La única forma de alcanzar el conocimiento total consiste en el *acto* de amar: ese acto trasciende el pensamiento, trasciende las palabras. Es una zambullida temeraria en la experiencia de la unión. Sin embargo, el conocimiento del pensamiento, es decir, el conocimiento psicológico, es una condición necesaria para el pleno conocimiento en el acto de amar. Tengo que conocer a la otra persona y a mí mismo objetivamente, para poder ver su realidad, o, más bien, para dejar de lado las ilusiones, mi imagen irracionalmente deformada de ella. Sólo conociendo objetivamente a un ser humano, puedo conocerlo en su esencia última, en el acto de amar[7].

El problema de conocer al hombre es paralelo al problema religioso de conocer a Dios. En la teología occidental convencional se intenta conocer a Dios por medio del pensamiento, de afirmaciones *acerca* de Dios. Se supone que puedo conocer a Dios en mi pensamiento. En el misticismo, que es el resultado del monoteísmo (como trataré de demostrar más adelante), se renuncia al intento de conocer a Dios por medio del pensa-

---

[7] Esa afirmación tiene una consecuencia importante para el papel de la psicología en la cultura occidental contemporánea. Si bien la gran popularidad de la psicología indica ciertamente interés en el conocimiento del hombre, también descubre la fundamental falta de amor en las relaciones humanas actuales. El conocimiento psicológico conviértese así en un sustituto del conocimiento pleno del acto de amar, en lugar de ser un paso hacia él.

miento, y se lo reemplaza por la experiencia de la unión con Dios, en la que ya no hay lugar para el conocimiento *acerca* de Dios, ni tal conocimiento es necesario.

La experiencia de la unión, con el hombre, o, desde un punto de vista religioso, con Dios, no es en modo alguno irracional. Por el contrario, y como lo señaló Albert Schweitzer, es la consecuencia del racionalismo, su consecuencia más audaz y radical. Se basa en nuestro conocimiento de las limitaciones fundamentales, y no accidentales, de nuestro conocimiento. Es el conocimiento de que nunca «captaremos» el secreto del hombre y del universo, pero que podemos conocerlos, sin embargo, en el acto de amar. La psicología como ciencia tiene limitaciones, y así como la consecuencia lógica de la teología es el misticismo, así la consecuencia última de la psicología es el amor.

Cuidado, responsabilidad, respeto y conocimiento son mutuamente interdependientes. Constituyen un síndrome de actitudes que se encuentran en la persona madura; esto es, en la persona que desarrolla productivamente sus propios poderes, que sólo desea poseer los que ha ganado con su trabajo, que ha renunciado a los sueños narcisistas de omnisapiencia y omnipotencia, que ha adquirido humildad basada en esa fuerza interior que sólo la genuina actividad productiva puede proporcionar.

Hasta ahora he hablado sobre el amor como forma de superar la separatidad humana, como la realización del anhelo de unión. Pero por encima de la necesidad universal, existencial, de unión, surge otra más específica y de orden biológico: el deseo de unión entre los polos masculino y femenino. La idea de tal polarización está notablemente expresada en el mito de que, originariamente, el hombre y la mujer fueron uno, que los dividieron por la mitad y que, desde entonces, cada hombre busca la parte femenina de sí mismo que ha perdido, para unirse nuevamente con ella. (La misma idea de la unidad original de los sexos aparece también en la Biblia, donde Eva es hecha de una costilla de Adán, si bien en ese relato, concebido en el espíritu del patriarcalismo, la mujer se considera secundaria al hombre.) El significado del mito es bastante claro. La polarización sexual lleva al hombre a buscar la unión con el otro sexo. La polaridad entre los principios masculino y femenino existe también *dentro* de cada hombre y cada mujer. Así como fisiológicamente tanto el hombre como la mujer poseen hormonas del sexo opuesto, así también en el sentido psicológico son bisexuales. Llevan en sí mismos el principio de recibir y de penetrar, de la materia y del espíritu. El hombre —y la mujer— sólo logra la unión interior en la unión con su polaridad femenina o masculina. Esa polaridad es la base de toda creatividad.

La polaridad masculino-femenina es también la base de la creatividad interpersonal. Ello se evidencia biológicamente en el hecho de que la unión del esperma y el óvulo constituyen la base para el nacimiento de un niño. Y la situación es la misma en el dominio puramente psíquico; en el amor entre hombre y mujer, cada uno vuelve a nacer. (La desviación homosexual es un fracaso en el logro de esa unión polarizada, y por eso el homosexual sufre el dolor de la separatidad nunca resuelta, fracaso que comparte, sin embargo, con el heterosexual corriente que no puede amar.)

Idéntica polaridad entre el principio masculino y el femenino existe en la naturaleza; no sólo, como es notorio, en los animales y las plantas, sino en la polaridad de dos funciones fundamentales, la de recibir y la de penetrar. Es la polaridad de la tierra y la lluvia, del río y el océano, de la noche y el día, de la oscuridad y la luz, de la materia y el espíritu. El gran poeta y místico musulmán, Rumi, expresó esta idea con hermosas frases:

Nunca el amante busca sin ser buscado por su amada.
Si la luz del amor ha penetrado en este *corazón, sabe que también hay amor en* aquel *corazón.*
Cuando el amor a Dios agita tu corazón, también Dios tiene amor para ti.

Sin la otra mano, ningún ruido de palmoteo sale de una mano.

La sabiduría Divina es destino y su decreto nos hace amarnos el uno al otro.

Por eso está ordenado que cada parte del mundo se una con su consorte.

El sabio dice: Cielo es hombre, y Tierra, mujer.

Cuando la Tierra no tiene calor, el Cielo se lo manda; cuando pierde su frescor y su rocío, el Cielo se lo devuelve.

El Cielo hace su ronda, como un marido que trabaja por su mujer.

Y la Tierra se ocupa del gobierno de su casa: cuida de los nacimientos y amamanta lo que pare.

Mira a la Tierra y al Cielo, tienen inteligencia, pues hacen el trabajo de seres inteligentes.

Si esos dos no gustaran placer el uno del otro, ¿por qué habrían de andar juntos como novios?

Sin la Tierra, ¿despuntarían las flores, echarían flores los árboles? ¿Qué, entonces, producirían el calor y el agua del Cielo?

Así como Dios puso el deseo en el hombre y en la mujer para que el mundo fuera preservado por su unión.

Así en cada parte de la existencia planteó el deseo de la otra parte.

Día y noche son enemigos afuera; pero sirven ambos un único fin.

Cada uno ama al otro en aras de la perfección de su mutuo trabajo.

Sin la noche, la naturaleza del Hombre no recibiría ganancia alguna, y nada tendría entonces el Día para gastar[8].

El problema de la polaridad hombre-mujer lleva a ciertas consideraciones ulteriores sobre la cuestión del amor y el sexo.

[8] R. A. Nicholson, *Rumi,* Londres, George Allen and Unwin, Ltd., 1950, págs. 122-3.

Hablé antes del error que cometió Freud al ver en el amor exclusivamente la expresión —o una sublimación— del instinto sexual, en lugar de reconocer que el deseo sexual es una manifestación de la necesidad de amor y de unión. Pero el error de
Freud es más hondo todavía. De acuerdo con su materialismo
fisiológico, ve en el instinto sexual el resultado de una tensión
químicamente producida en el cuerpo, que es dolorosa y busca
alivio. La finalidad del deseo sexual es la eliminación de esa
tensión; la satisfacción sexual consiste en tal eliminación. Este
punto de vista es válido en la medida en que el deseo sexual
opera en la misma forma que el hambre o la sed cuando el or-
ganismo se encuentra desnutrido. En tal sentido, el deseo sexual es una comezón, y la satisfacción sexual, el alivio de esa
comezón. En realidad, en lo que al concepto de sexualidad se
refiere, la masturbación sería la satisfacción sexual ideal. Lo
que Freud paradójicamente no tiene en cuenta es el aspecto
psicobiológico de la sexualidad, la polaridad masculino-femenina, y el deseo de resolver la polaridad por medio de la unión.
Ese curioso error probablemente vióse facilitado por el extremo patriarcalismo de Freud, que lo llevó a suponer que la
sexualidad *per se* es masculina, y le hizo ignorar la sexualidad
femenina específica. Expresó tal idea en *Una teoría sexual,* diciendo que la libido posee regularmente «una naturaleza masculina», se trate de la libido de un hombre o de una mujer. La
misma idea se expresa, en una forma racionalizada, en la teoría
de que el niño experimenta a la mujer como un hombre castrado, y de que ella misma busca diversas compensaciones a la
pérdida del genital masculino. Pero la mujer no es un hombre
castrado, y su sexualidad es específicamente femenina y no de
«naturaleza masculina».

La necesidad de aliviar la tensión sólo motiva parcialmente
la atracción entre los sexos; la motivación fundamental es la
necesidad de unión con el otro polo sexual. De hecho, la atracción erótica no se expresa únicamente en la atracción sexual.
Hay masculinidad y feminidad en el *carácter* tanto como en la

función sexual. Puede definirse el carácter masculino diciendo que posee las cualidades de penetración, conducción, actividad, disciplina y aventura; el carácter femenino, las cualidades de receptividad productiva, protección, realismo, resistencia, maternalidad. (Siempre debe tenerse presente que en cada individuo se funden ambas características, pero con predominio de las correspondientes a su sexo.) Si los rasgos masculinos del *carácter* de un hombre están debilitados porque emocionalmente sigue siendo una criatura, es muy frecuente que trate de compensar esa falta acentuando exclusivamente su papel masculino en el *sexo*. El resultado es el Don Juan, que necesita demostrar sus proezas masculinas en el terreno sexual, porque **está** inseguro de su masculinidad en un sentido caracterológico. Cuando la parálisis de la masculinidad es más intensa, el sadismo (el uso de la fuerza) se convierte en el principal —y perverso— sustituto de la masculinidad. Si la sexualidad femenina está debilitada o pervertida, se transforma en masoquismo o posesividad.

Se ha criticado a Freud por su sobrevaloración de lo sexual. Tales críticas estuvieron frecuentemente motivadas por el deseo de eliminar del sistema freudiano un elemento que despertó la hostilidad y la crítica de la gente de mentalidad convencional. Freud percibió agudamente esa motivación y, por eso mismo, luchó contra todo intento de modificar su teoría sexual. Es indudable que en su época la teoría freudiana tenía un carácter desafiante y revolucionario. Pero lo que era cierto alrededor de 1900 ya no lo es cincuenta años más tarde. Las costumbres sexuales han cambiado tanto que las teorías de Freud ya no le resultan escandalosas a la clase media occidental, y los analistas ortodoxos actuales practican una forma quijotesca de radicalismo cuando creen que son los valerosos y extremistas defensores de la teoría sexual de Freud. En realidad, su tipo de psicoanálisis es conformista, y no trata de plantear problemas psicológicos que lleven a una crítica de la sociedad contemporánea.

No critico la teoría freudiana por acentuar excesivamente la sexualidad, sino por su fracaso en comprenderla con profundidad. Freud dio el primer paso hacia el descubrimiento de la significación de las pasiones interpersonales; de acuerdo con sus premisas filosóficas, las explicó fisiológicamente. En el desarrollo ulterior del psicoanálisis, es necesario corregir y profundizar el concepto freudiano, trasladando las concepciones de Freud de la dimensión fisiológica a la biológica y existencial[9].

2. EL AMOR ENTRE PADRES E HIJOS

Al nacer, el infante sentiría miedo de morir si un gracioso destino no lo protegiera de cualquier conciencia de la angustia implícita en la separación de la madre y de la existencia intrauterina. Aun después de nacer, el infante es apenas diferente de lo que era antes del nacimiento; no puede reconocer objetos, no tiene aún conciencia de sí mismo, ni del mundo como algo exterior a él. Sólo siente la estimulación positiva del calor y el alimento, y todavía no los distingue de su fuente: la madre. La madre *es* calor, *es* alimento, la madre *es* el estado eufórico de satisfacción y seguridad. Ese estado es narcisista, para usar un término de Freud. La realidad exterior, las personas y las cosas, tienen sentido sólo en la medida en que satisfacen o frustran el estado interno del cuerpo. Sólo es real lo que está adentro; lo exterior sólo es real en función de mis necesidades —nunca en función de sus propias cualidades o necesidades—.

Cuando el niño crece y se desarrolla, se vuelve capaz de

---

[9] El mismo Freud dio un primer paso en esa dirección en su posterior concepto de los instintos de vida y de muerte. Su concepto del instinto de vida (*eros*) como principio de síntesis y de unificación, se encuentra en un plano enteramente distinto al de su concepto de la libido. Pero a pesar de que la teoría de los instintos de vida y de muerte fue aceptada por los analistas ortodoxos, ello no llevó a una revisión fundamental del concepto de libido, especialmente en lo que toca a la labor clínica.

percibir las cosas como son; la satisfacción de ser alimentado se distingue del pezón, el pecho de la madre. Eventualmente, el niño experimenta su sed, la leche que le satisface, el pecho y la madre, como entidades diferentes. Aprende a percibir muchas otras cosas como diferentes, como poseedoras de una existencia propia. En ese momento empieza a darles nombres. Al mismo tiempo aprende a manejarlas; aprende que el fuego es caliente y doloroso, que el cuerpo de la madre es tibio y placentero, que la mamadera es dura y pesada, que el papel es liviano y se puede rasgar. Aprende a manejar a la gente; que la mamá sonríe cuando él come; que lo alza en sus brazos cuando llora; que lo alaba cuando mueve el vientre. Todas esas experiencias se cristalizan o integran en la experiencia: *me aman*. Me aman porque soy el hijo de mi madre. Me aman porque estoy desvalido. Me aman porque soy hermoso, admirable. Me aman porque mi madre me necesita. Para utilizar una fórmula más general: *me aman por lo que soy,* o quizá más exactamente, *me aman porque soy.* Tal experiencia de ser amado por la madre es pasiva. No tengo que hacer nada para que me quieran —el amor de la madre es incondicional—. Todo lo que necesito es *ser* —ser su hijo—. El amor de la madre significa dicha, paz, no hace falta conseguirlo, ni merecerlo. Pero la cualidad incondicional del amor materno tiene también un aspecto negativo. No sólo es necesario merecerlo, mas también es *imposible* conseguirlo, producirlo, controlarlo. Si existe, es como una bendición; si no existe, es como si toda la belleza hubiera desaparecido de la vida —y nada puedo hacer para crearla—.

Para la mayoría de los niños entre los ocho y medio a los diez años[10], el problema consiste casi exclusivamente en *ser amado* —en ser amado por lo que se es—. Antes de esa edad, el niño aún no ama; responde con gratitud y alegría al amor que se le brinda. A esa altura del desarrollo infantil, aparece en el

---

[10] Cf. la descripción que de ese desarrollo hace Sullivan en *The Interpersonal Theory of Psychiatry,* Nueva York, W. W. Norton and Co., 1953.

cuadro un nuevo factor: un nuevo sentimiento de producir amor por medio de la propia actividad. Por primera vez, el niño piensa en *dar* algo a sus padres, en producir algo —un poema, un dibujo, o lo que fuere—. Por primera vez en la vida del niño, la idea del amor se transforma de ser amado a amar, en crear amor. Muchos años transcurren desde ese primer comienzo hasta la madurez del amor. Eventualmente, el niño, que puede ser ahora un adolescente, ha superado su egocentrismo; la otra persona ya no es primariamente un medio para satisfacer sus propias necesidades. Las necesidades de la otra persona son tan importantes como las propias; en realidad, se han vuelto más importantes. Dar es más satisfactorio, más dichoso que recibir; amar, aún más importante que ser amado. Al amar, ha abandonado la prisión de soledad y aislamiento que representaba el estado de narcisismo y autocentrismo. Siente una nueva sensación de unión, de compartir, de unidad. Más aún, siente la potencia de producir amor —antes que la dependencia de recibir siendo amado— para lo cual debe ser pequeño, indefenso, enfermo —o «bueno»—. El amor infantil sigue el principio: *«Amo porque me aman.»* El amor maduro obedece al principio: *«Me aman porque amo.»* El amor inmaduro dice: *«Te amo porque te necesito.»* El amor maduro dice: *«Te necesito porque te amo.»*

En estrecha relación con el desarrollo de la *capacidad* de amar está la evolución del *objeto* amoroso. En los primeros meses y años de la vida, la relación más estrecha del niño es la que tiene con la madre. Esa relación comienza antes del nacimiento, cuando madre e hijo son aún uno, aunque sean dos. El nacimiento modifica la situación en algunos aspectos, pero no tanto como parecería. El niño, si bien vive ahora fuera del vientre materno, todavía depende por completo de la madre. Pero día a día se hace más independiente: aprende a caminar, a hablar, a explorar el mundo por su cuenta; la relación con la madre pierde algo de su significación vital; en cambio, la relación con el padre se torna cada vez más importante.

Para comprender ese paso de la madre al padre, debemos considerar las esenciales diferencias cualitativas entre el amor materno y el paterno. Hemos hablado ya acerca del amor materno. Ese es, por su misma naturaleza, incondicional. La madre ama al recién nacido porque es su hijo, no porque el niño satisfaga alguna condición específica ni porque llene sus aspiraciones particulares. (Naturalmente, cuando hablo del amor de la madre y del padre, me refiero a «tipos ideales» —en el sentido de Max Weber o en el del arquetipo de Jung— y no significo que todos los padres amen en esa forma. Me refiero al principio materno y al paterno, representados en la persona materna y paterna.) El amor incondicional corresponde a uno de los anhelos más profundos, no sólo del niño, sino de todo ser humano; por otra parte, que nos amen por los propios méritos, porque uno se lo merece, siempre crea dudas; quizá no complací a la persona que quiero que me ame, quizás eso, quizás aquello —siempre existe el temor de que el amor desaparezca—. Además, el amor «merecido» siempre deja un amargo sentimiento de no ser amado por uno mismo, de que sólo se nos ama cuando somos complacientes, de que, en último análisis, no se nos ama, sino que se nos usa. No es extraño, entonces, que todos nos aferremos al anhelo de amor materno, cuando niños y también cuando adultos. La mayoría de los niños tienen la suerte de recibir amor materno (más adelante veremos en qué medida). Cuando adultos, el mismo anhelo es más difícil de satisfacer. En el desarrollo más satisfactorio, permanece como un componente del amor erótico normal; muchas veces encuentra su expresión en formas religiosas, pero con mayor frecuencia en formas neuróticas.

La relación con el padre es enteramente distinta. La madre es el hogar de donde venimos, la naturaleza, el suelo, el océano; el padre no representa un hogar natural de ese tipo. Tiene escasa relación con el niño durante los primeros años de su vida, y su importancia para éste no puede compararse a la de la madre en ese primer período. Pero, si bien el padre no representa el mundo natural, significa el otro polo de la existencia humana; el mundo del pensamiento, de las cosas hechas por el hombre, de la ley y el orden, de la disciplina, los viajes y la aventura. El padre es el que enseña al niño, el que le muestra el camino hacia el mundo.

En estrecha conexión con esa función, existe otra, vinculada al desarrollo económico-social. Cuando surgió la propiedad privada, y cuando uno de los hijos pudo heredar la propiedad privada, el padre comenzó a seleccionar al hijo a quien legaría su propiedad. Desde luego, elegía al que consideraba mejor dotado para convertirse en su sucesor, el hijo que más se le asemejaba y, en consecuencia, el que prefería. El amor paterno es condicional. Su principio es «te amo *porque* llenas mis aspiraciones, porque cumples con tu deber, porque eres como yo». En el amor condicional del padre encontramos, como en el caso del amor incondicional de la madre, un aspecto negativo y uno positivo. El aspecto negativo consiste en el hecho mismo de que el amor paterno debe ganarse, de que puede perderse si uno no hace lo que de uno se espera. A la naturaleza del amor paterno débese el hecho de que la obediendia constituya la principal virtud, la desobediencia el principal pecado, cuyo castigo es la pérdida del amor del padre. El aspecto positivo es igualmente importante. Puesto que el amor de mi padre es condicional, es posible hacer algo por conseguirlo; su amor no está fuera de mi control, como ocurre con el de mi madre.

Las actitudes del padre y de la madre hacia el niño corresponden a las propias necesidades de ése. El infante necesita el amor incondicional y el cuidado de la madre, tanto fisiológica como psíquicamente. Después de los seis años, el niño comienza a necesitar el amor del padre, su autoridad y su guía. La función de la madre es darle seguridad en la vida; la del padre, enseñarle, guiarlo en la solución de los problemas que le plantea la sociedad particular en la que ha nacido. En el caso ideal, el amor de la madre no trata de impedir que el niño crezca, no intenta hacer una virtud de la desvalidez. La madre debe tener fe en la vida, y, por ende, no ser exageradamente ansiosa y no contagiar al niño su ansiedad. Querer que el niño se torne independiente y llegue a separarse de ella debe ser parte de su vida. El amor paterno debe regirse por principios y expectaciones; debe ser paciente y tolerante, no amenazador y autoritario. Debe darle al niño que crece un sentido cada vez mayor de la competencia, y oportunamente permitirle ser su propia autoridad y dejar de lado la del padre.

Eventualmente, la persona madura llega a la etapa en que es su propio padre y su propia madre. Tiene, por así decirlo, una conciencia materna y paterna. La conciencia materna dice: «No hay ningún delito, ningún crimen, que pueda privarte de mi amor, de mi deseo de que vivas y seas feliz.» La conciencia paterna dice: «Obraste mal, no puedes dejar de aceptar las consecuencias de tu mala acción, y, especialmente, debes cambiar si quieres que te aprecie.» La persona madura se ha liberado de las figuras exteriores de la madre y el padre, y las ha erigido en su interior. Sin embargo, y en contraste con el concepto freudiano del superyó, las ha construido en su interior sin *incorporar* al padre y a la madre, sino elaborando una conciencia materna sobre su propia capacidad de amar, y una conciencia paterna fundada en su razón y su discernimiento. Además, la persona madura ama tanto con la conciencia materna como con la paterna, a pesar de que ambas parecen contradecirse mutuamente. Si un individuo conservara sólo la conciencia paterna, se tornaría áspero e inhumano. Si retuviera únicamente la conciencia materna, podría perder su criterio y obstaculizar su propio desarrollo o el de los demás.

En esa evolución de la relación centrada en la madre a la centrada en el padre, y su eventual síntesis, se encuentra la base de la salud mental y el logro de la madurez. El fracaso de dicho desarrollo constituye la causa básica de la neurosis. Si bien está más allá de los propósitos de este libro examinar más profundamente este punto, algunas breves observaciones servirán para aclarar esa afirmación.

Una de las causas del desarrollo neurótico puede radicar en que el niño tiene una madre amante, pero demasiado indulgente o dominadora, y un padre débil e indiferente. En tal caso, puede permanecer fijado a una temprana relación con la madre, y convertirse en un individuo dependiente de la madre, que se siente desamparado, posee los impulsos característicos de la persona receptiva, es decir, de recibir, de ser protegido y cuidado, y que carece de las cualidades paternas —disciplina, independencia, habilidad de dominar la vida por sí mismo—. Puede tratar de encontrar «madres» en todo el mundo, a veces en las mujeres y a veces en los hombres que ocupan una posición de autoridad y poder. Si, por el contrario, la madre es fría, indiferente y dominadora, puede transferir la necesidad de protección materna al padre y a subsiguientes figuras paternas, en cuyo caso el resultado final es similar al caso anterior, o se convierte en una persona de orientación unilateralmente paterna, enteramente entregado a los principios de la ley, el orden y la autoridad, y carente de la capacidad de esperar o recibir amor incondicional. Ese desarrollo se ve intensificado si el padre es autoritario y, al mismo tiempo, muy apegado al hijo. Lo característico de todos esos desarrollos neuróticos es el hecho de que un principio, el paterno o el materno, no alcanza a desarrollarse, o bien —como ocurre en muchas neurosis serias— que los papeles de la madre y el padre se tornan confusos tanto en lo relativo a las personas exteriores como a dichos papeles dentro de la persona. Un examen más profundo puede mostrar que ciertos tipos de neurosis, las obsesivas, por ejemplo, se desarrollan especialmente sobre la base de un apego unilateral al padre, mientras que otras, como la histeria, el alcoholismo, la incapacidad de autoafirmarse y de enfrentar la vida en forma realista, y las depresiones, son el resultado de una relación centrada en la madre.

3. LOS OBJETOS AMOROSOS

El amor no es esencialmente una relación con una persona específica; es una *actitud*, una *orientación* del *carácter* que determina el tipo de relación de una persona con el mundo como totalidad, no con un «objeto» amoroso. Si una persona ama sólo a otra y es indiferente al resto de sus semejantes, su amor no es amor, sino una relación simbiótica, o un egotismo ampliado. Sin embargo, la mayoría de la gente supone que el amor está constituido por el objeto, no por la facultad. En realidad, llegan a creer que el hecho de que no amen sino a una determinada persona prueba la intensidad de su amor. Trátase aquí de la misma falacia que mencionamos antes. Como no comprenden que el amor es una actividad, un poder del alma, creen que lo único necesario es encontrar un objeto adecuado —y que después todo viene solo—. Puede compararse esa actitud con la de un hombre que quiere pintar, pero que en lugar de aprender el arte sostiene que debe esperar el objeto adecuado, y que pintará maravillosamente bien cuando lo encuentre. Si amo realmente a una persona, amo a todas las personas, amo al mundo, amo la vida. Si puedo decirle a alguien «Te amo», debo poder decir «Amo a todos en ti, a través de ti amo al mundo, en ti me amo también a mí mismo».

Decir que el amor es una orientación que se refiere a todos y no a uno no implica, empero, la idea de que no hay diferencias entre los diversos tipos de amor, que dependen de la clase de objeto que se ama.

a. *Amor fraternal*.

La clase más fundamental de amor, básica en todos los tipos de amor, es el *amor fraternal*. Por él se entiende el sentido de responsabilidad, cuidado, respeto y conocimiento con respecto a cualquier otro ser humano, el deseo de promover su vida. A esta clase de amor se refiere la Biblia cuando dice: ama a tu prójimo como a ti mismo. El amor fraternal es el amor a

todos los seres humanos; se caracteriza por su falta de exclusividad. Si he desarrollado la capacidad de amar, no puedo dejar
de amar a mis hermanos. En el amor fraternal se realiza la experiencia de unión con todos los hombres, de solidaridad humana, de reparación humana. El amor fraternal se basa en la
experiencia de que todos somos uno. Las diferencias en talento, inteligencia, conocimiento, son despreciables en compa-
ración con la identidad de la esencia humana común a todos
los hombres. Para experimentar dicha identidad es necesario
penetrar desde la periferia hacia el núcleo. Si percibo en otra
persona nada más que lo superficial, percibo principalmente
las diferencias, lo que nos separa. Si penetro hasta el núcleo,
percibo nuestra identidad, el hecho de nuestra hermandad.
Esta relación de centro a centro —en lugar de la de periferia a
periferia— es una «relación central». O, como lo expresó bellamente Simone Weil: «Las mismas palabras [por ejemplo, un
hombre dice a su mujer, 'te amo'] pueden ser triviales o ex-
traordinarias según la forma en que se digan. Y esa forma depende de la profundidad de la región en el ser de un hombre de
donde procedan, sin que la voluntad pueda hacer nada. Y, por
un maravilloso acuerdo, alcanzan la misma región en quien las
escucha. De tal modo, el que escucha puede discernir, si tiene
alguna capacidad de discernimiento, cuál es el valor de las
palabras»[11].

El amor fraternal es amor entre iguales: pero, sin duda, aun
como iguales no somos siempre «iguales»; en la medida en que
somos humanos, todos necesitamos ayuda. Hoy yo, mañana
tú. Esa necesidad de ayuda, empero, no significa que uno sea
desvalido y el otro poderoso. La desvalidez es una condición
transitoria; la capacidad de pararse y caminar sobre los propios pies es común y permanente.

Sin embargo, el amor al desvalido, al pobre y al descono-

[11] Simone Weil, *Gravity and Grace,* Nueva York, G. P. Putnam's Sons,
1952, pág. 117.

cido, son el comienzo del amor fraternal. Amar a los de nuestra propia carne y sangre no es hazaña alguna. Los animales aman a sus vástagos y los protegen. El desvalido ama a su dueño, puesto que su vida depende de él; el niño ama a sus padres, pues los necesita. El amor sólo comienza a desarrollarse cuando amamos a quienes no necesitamos para nuestros fines personales. En forma harto significativa, en el Antiguo Testamento, el objeto central del amor del hombre es el pobre, el extranjero, la viuda y el huérfano, y, eventualmente, el enemigo nacional, el egipcio y el edomita. Al tener compasión del desvalido el hombre comienza a desarrollar amor a su hermano; y al amarse a sí mismo, ama también al que necesita ayuda, al frágil e inseguro ser humano. La compasión implica el elemento de conocimiento e identificación. «Tú conoces el corazón del extranjero», dice el Antiguo Testamento, «puesto que fuiste extranjero en la tierra de Egipto... *¡por lo tanto, ama al extranjero!*»[12].

b. Amor materno.

Nos hemos referido ya a la naturaleza del amor materno en un capítulo anterior, al hablar de la diferencia entre el amor materno y el paterno. El amor materno, como dije entonces, es una afirmación incondicional de la vida del niño y sus necesidades. Pero debo hacer aquí una importante adición a tal descripción. La afirmación de la vida del niño presenta dos aspectos: uno es el cuidado y la responsabilidad absolutamente necesarios para la conservación de la vida del niño y su crecimiento. El otro aspecto va más allá de la mera conservación. Es la actitud que inculca en el niño el amor a la vida, que crea en él el sentimiento: ¡es bueno estar vivo, es bueno ser una criatura, es bueno estar sobre esta tierra! Esos dos aspectos del

---

[12] La misma idea ha sido expresada por Hermann Cohen en su *Religion der Vernunft aus den Quellen des Judentums,* Frankfurt am Main, J. Kaufmann Verlag, 1929, págs. 168 y sig.

amor materno se expresan muy sucintamente en el relato bíblico de la creación. Dios crea el mundo y el hombre. Esto corresponde al simple cuidado y afirmación de la existencia. Pero Dios va más allá de ese requerimiento mínimo. Cada día posterior a la creación de la naturaleza —y del hombre— «Dios vio que era bueno». El amor materno, en su segunda etapa, hace sentir al niño: es una suerte haber nacido; inculca en el niño el *amor a la vida,* y no sólo el deseo de conservarse vivo. La misma idea se expresa en otro simbolismo bíblico. La tierra prometida (la tierra es siempre un símbolo materno) se describe como «plena de leche y miel». La leche es el símbolo del primer aspecto del amor, el de cuidado y afirmación. La miel simboliza la dulzura de la vida, el amor por ella y la felicidad de estar vivo. La mayoría de las madres son capaces de dar «leche», pero sólo unas pocas pueden dar «miel» también. Para estar en condiciones de dar miel, una madre debe ser no sólo una «buena madre», sino una persona feliz —y no son muchas las que logran alcanzar esa meta—. No hay peligro de exagerar el efecto sobre el niño. El amor de la madre a la vida es tan contagioso como su ansiedad. Ambas actitudes ejercen un profundo efecto sobre la personalidad total del niño; indudablemente, es posible distinguir, entre los niños —y los adultos— los que sólo recibieron «leche» y los que recibieron «leche y miel».

En contraste con el amor fraternal y el erótico, que se dan entre iguales, la relación entre madre e hijo es, por su misma naturaleza, de desigualdad, en la que uno necesita toda la ayuda y la otra la proporciona. Y es precisamente por su carácter altruista y generoso que el amor materno ha sido considerado la forma más elevada de amor, y el más sagrado de todos los vínculos emocionales. Parece, sin embargo, que la verdadera realización del amor materno no está en el amor de la madre al pequeño bebé, sino en su amor por el niño que crece. En realidad, la vasta mayoría de las madres ama a sus hijos mientras éstos son pequeños y dependen por completo de ellas.

La mayoría de las mujeres desea tener hijos, son felices con el recién nacido y vehementes en sus cuidados. Ello ocurre a pesar del hecho de que no «obtienen» nada del niño a cambio, excepto una sonrisa o una expresión de satisfacción en su rostro. Se supone que esa actitud de amor está parcialmente arraigada en un equipo instintivo que se encuentra tanto en los animales como en la mujer. Pero cualquiera sea la gravitación de ese factor, también existen factores psicológicos específicamente humanos que determinan este tipo de amor maternal. Cabe encontrar uno de ellos en el elemento narcisista del amor materno. En la medida en que sigue sintiendo al niño como una parte suya, el amor y la infatuación pueden satisfacer su narcisismo. Otra motivación radica en el deseo de poder o de posesión de la madre. El niño, desvalido y sometido por entero a su voluntad, constituye un objeto natural de satisfacción para una mujer dominante y posesiva.

Si bien aparecen con frecuencia, tales motivaciones no son probablemente tan importantes y universales como la que podemos llamar necesidad de trascendencia. Tal necesidad de trascendencia es una de las necesidades básicas del hombre, arraigada en el hecho de su autoconciencia, en el hecho de que no está satisfecho con el papel de la criatura, de que no puede aceptarse a sí mismo como un dado arrojado fuera del cubilete. Necesita sentirse creador, ser alguien que trasciende el papel pasivo de ser creado. Hay muchas formas de alcanzar esa satisfacción en la creación; la más natural, y también la más fácil de lograr, es el amor y el cuidado de la madre por su creación. Ella se trasciende en el niño; su amor por él da sentido y significación a su vida. (En la incapacidad misma del varón para satisfacer su necesidad de trascendencia concibiendo hijos reside su impulso a trascenderse por medio de la creación de cosas hechas por el hombre y de ideas.)

Pero el niño debe crecer. Debe emerger del vientre materno, del pecho de la madre; eventualmente, debe convertirse en un ser humano completamente separado. La esencia misma del amor materno es cuidar de que el niño crezca, y esto significa desear que el niño se separe de ella. Ahí radica la diferencia básica con respecto al amor erótico. En este último, dos seres que estaban separados se convierten en uno solo. En el amor materno, dos seres que estaban unidos se separan. La madre debe no sólo tolerar, sino también desear y alentar la separación del niño. Sólo en esa etapa el amor materno se convierte en una tarea sumamente difícil, que requiere generosidad y capacidad de dar todo sin desear nada salvo la felicidad del ser amado. También es en esa etapa donde muchas madres fracasan en su tarea de amor materno. La mujer narcisista, dominadora y posesiva puede llegar a ser una madre «amante» mientras el niño es pequeño. Sólo la mujer que realmente ama, la mujer que es más feliz dando que tomando, que está firmemente arraigada en su propia existencia, puede ser una madre amante cuando el niño está en el proceso de la separación.

El amor maternal por el niño que crece, amor que no desea nada para sí, es quizá la forma de amor más difícil de lograr, y la más engañosa, a causa de la facilidad con que una madre puede amar a su pequeño. Pero, precisamente debido a dicha dificultad, una mujer sólo puede ser una madre verdaderamente amante si puede *amar;* si puede amar a su esposo, a otros niños, a los extraños, a todos los seres humanos. La mujer que no es capaz de amar en ese sentido, puede ser una madre afectuosa mientras su hijo es pequeño, pero no será una madre amante, y la prueba de ello es la voluntad de aceptar la separación —y aun después de la separación seguir amando—.

c. Amor erótico.

El amor fraterno es amor entre hermanos; el amor materno es amor por el desvalido. Diferentes como son entre sí, tienen en común el hecho de que, por su misma naturaleza, no están restringidos a una sola persona. Si amo a mi hermano, amo a todos mis hermanos; si amo a mi hijo, amo a todos mis hijos; no, más aún, amo a todos los niños, a todos los que necesitan mi ayuda. En contraste con ambos tipos de amor está el *amor erótico:* el anhelo de fusión completa, de unión con una única otra persona. Por su propia naturaleza, es exclusivo y no universal; es también, quizá, la forma de amor más engañosa que existe.

En primer lugar, se lo confunde fácilmente con la experiencia explosiva de «enamorarse», el súbito derrumbe de las barreras que existían hasta ese momento entre dos desconocidos. Pero, como señalamos antes, tal experiencia de repentina intimidad es, por su misma naturaleza, de corta duración. Cuando el desconocido se ha convertido en una persona íntimamente conocida, ya no hay más barreras que superar, ningún súbito acercamiento que lograr. Se llega a conocer a la persona «amada» tan bien como a uno mismo. O, quizá, sería mejor decir tan poco. Si la experiencia de la otra persona fuera más profunda, si se pudiera experimentar la infinitud de su personalidad, nunca nos resultaría tan familiar —y el milagro de salvar las barreras podría renovarse a diario—. Pero para la mayoría de la gente, su propia persona, tanto como las otras, resulta rápidamente explorada y agotada. Para ellos, la intimidad se establece principalmente a través del contacto sexual. Puesto que experimentan la separatidad de la otra persona fundamentalmente como separatidad física, la unión física significa superar la separatidad.

Existen, además, otros factores que para mucha gente significan una superación de la separatidad. Hablar de la propia vida, de las esperanzas y angustias, mostrar los propios aspectos infantiles, establecer un interés común frente al mundo —se consideran formas de salvar la separatidad—. Aun la exhibición de enojo, odio, de la absoluta falta de inhibición, se consideran pruebas de intimidad, y ello puede explicar la atracción pervertida que sienten los integrantes de muchos matrimonios que sólo parecen íntimos cuando están en la cama o cuando dan rienda suelta a su odio y a su rabia recíprocos. Pero la intimidad de este tipo tiende a disminuir cada vez más a medida que transcurre el tiempo. El resultado es que se trata de encontrar amor en la relación con otra persona, con un nuevo desconocido. Este se transforma nuevamente en una persona «íntima», la experiencia de enamorarse vuelve a ser estimulante e intensa, para tornarse otra vez menos y menos intensa, y concluye en el deseo de una nueva conquista, un nuevo amor —siempre con la ilusión de que el nuevo amor será distinto de los anteriores—. El carácter engañoso del deseo sexual contribuye al mantenimiento de tales ilusiones.

El deseo sexual tiende a la fusión —y no es en modo alguno sólo un apetito físico, el alivio de una tensión penosa—. Pero el deseo sexual puede ser estimulado por la angustia de la soledad, por el deseo de conquistar o de ser conquistado, por la vanidad, por el deseo de herir y aun de destruir, tanto como por el amor. Parecería que cualquier emoción intensa, el amor entre otras, puede estimular y fundirse con el deseo sexual. Como la mayoría de la gente une el deseo sexual a la idea del amor, con facilidad incurre en el error de creer que se ama cuando se desea físicamente. El amor puede inspirar el deseo de la unión sexual; en tal caso, la relación física hállase libre de avidez, del deseo de conquistar o ser conquistado, pero está fundido con la ternura. Si el deseo de unión física no está estimulado por el amor, si el amor erótico no es a la vez fraterno, jamás conduce a la unión salvo en un sentido orgiástico y transitorio. La atracción sexual crea, por un momento, la ilusión de la unión, pero, sin amor, tal «unión» deja a los desconocidos tan separados como antes —a veces los hace avergonzarse el uno del otro, o aun odiarse recíprocamente, porque, cuando la ilusión se desvanece, sienten su separación más agudamente que antes—. La ternura no es en modo alguno, como creía Freud, una sublimación del instinto sexual; es el producto directo del amor fraterno, y existe tanto en las formas físicas del amor, como en las no físicas.

En el amor erótico hay una exclusividad que falta en el amor fraterno y en el materno. Ese carácter exclusivo requiere un análisis más amplio. La exclusividad del amor erótico suele interpretarse erróneamente como una relación posesiva. Es frecuente encontrar dos personas «enamoradas» la una de la otra que no sienten amor por nadie más. Su amor es, en realidad, un egotismo *à deux*; son dos seres que se identifican el uno con el otro, y que resuelven el problema de la separatidad convirtiendo al individuo aislado en dos. Tienen la vivencia de superar la separatidad, pero, puesto que están separados del resto de la humanidad, siguen estándolo entre sí y enajenados de sí mismos; su experiencia de unión no es más que ilusión. El amor erótico es exclusivo, pero ama en la otra persona a toda la humanidad, a todo lo que vive. Es exclusivo sólo en el sentido de que puedo fundirme plena e intensamente con una sola persona. El amor erótico excluye el amor por los demás sólo en el sentido de la fusión erótica, de un compromiso total en todos los aspectos de la vida —pero no en el sentido de un amor fraterno profundo—.

El amor erótico, si es amor, tiene una premisa. Amar desde la esencia del ser —y vivenciar a la otra persona en la esencia de su ser—. En esencia, todos los seres humanos son idénticos. Somos todos parte de Uno; somos Uno. Siendo así, no debería importar a quién amamos. El amor debe ser esencialmente un acto de la voluntad, de decisión de dedicar toda nuestra vida a la de la otra persona. Ese es, sin duda, el razonamiento que sustenta la idea de la indisolubilidad del matrimonio, así como las muchas formas de matrimonio tradicional, en las que ninguna de las partes elige a la otra, sino que alguien las elige por ellas, a pesar de lo cual se espera que se amen mutuamente. En la cultura occidental contemporánea, tal idea parece totalmente falsa. Supónese que el amor es el resultado de una reacción espontánea y emocional, de la súbita aparición de un sentimiento irresistible. De acuerdo con ese criterio, sólo se consideran las peculiaridades de los dos individuos implicados —y no el hecho de que todos los hombres son parte de Adán y todos las mujeres parte de Eva—. Se pasa así por alto un importante factor del amor erótico, el de la *voluntad*. Amar a alguien no es meramente un sentimiento poderoso —es una decisión, es un juicio, es una promesa—. Si el amor no fuera más que un sentimiento, no existirían bases para la promesa de amarse eternamente. Un sentimiento comienza y puede desaparecer. ¿Cómo puedo yo juzgar que durará eternamente, si mi acto no implica juicio y decisión?

Tomando en cuenta esos puntos de vista, cabe llegar a la conclusión de que el amor es exclusivamente un acto de la voluntad y un compromiso, y de que, por lo tanto, en esencia no importa demasiado quiénes son las dos personas. Sea que el matrimonio haya sido decidido por terceros, o el resultado de una elección individual, una vez celebrada la boda el acto de la voluntad debe garantizar la continuación del amor. Tal posición parece no considerar el carácter paradójico de la naturaleza humana y del amor erótico. Todos somos Uno; no obstante, cada uno de nosotros es una entidad única e irrepetible. Idéntica paradoja se repite en nuestras relaciones con los otros. En la medida en que todos somos uno, podemos amar a todos de la misma manera, en el sentido del amor fraternal. Pero en la medida en que todos también somos diferentes, el amor erótico requiere ciertos elementos específicos y altamente individuales que existen entre algunos seres, pero no entre todos.

Ambos puntos de vista, entonces, el del amor erótico como una atracción completamente individual, única entre dos personas específicas, y el de que el amor erótico no es otra cosa que un acto de la voluntad, son verdaderos —o, como sería quizá más exacto, la verdad no es lo uno ni lo otro—. De ahí que la idea de una relación que puede disolverse fácilmente si no resulta exitosa es tan errónea como la idea de que tal relación no debe disolverse bajo ninguna circunstancia.

d. Amor a sí mismo[13].

Si bien la aplicación del concepto del amor a diversos objetos no despierta objeciones, es creencia común que amar a los
demás es una virtud, y amarse a sí mismo un pecado. Se supone que en la medida en que me amo a mí mismo, no amo a
los demás, que amor a sí mismo es lo mismo que egoísmo. Tal
punto de vista se remonta a los comienzos del pensamiento occidental. Calvino califica de «peste» el amor a sí mismo[14].
Freud habla del amor a sí mismo en términos psiquiátricos,
pero no obstante, su juicio valorativo es similar al de Calvino.
Para él, amor a sí mismo se identifica con narcisismo, es decir,
la vuelta de la libido hacia el propio ser. El narcisismo constituye la primera etapa del desarrollo humano, y la persona que
en la vida adulta regresa a su etapa narcisista, es incapaz de
amar; en los casos extremos, es insano. Freud sostiene que el
amor es una manifestación de la libido, y que ésta puede diri-
girse hacia los demás —amor— o hacia uno —amor a sí
mismo—. Amor y amor a sí mismo, entonces, se excluyen mutuamente en el sentido de que cuanto mayor es uno, menor es
el otro. Si el amor a sí mismo es malo, se sigue que la generosidad es virtuosa.

[13] Paul Tillich, en un comentario de *The Sane Society,* en *Pastoral Psy-
chology,* setiembre 1955, sugirió que sería mejor abandonar el ambiguo término «amor a sí mismo» (autoamor, «self-love») y reemplazarlo por «autoa-
firmación natural», o «autoaceptación paradójica». Si bien comprendo yo los
méritos de esa sugerencia, no puedo convenir con el autor al respecto. En el
término «amor a sí mismo», el elemento paradójico en amor a sí mismo está
mucho más claramente contenido. Se expresa el hecho de que el amor es una
actitud que es la misma hacia todos los objetos, incluyéndome a mí mismo.
Tampoco debe olvidarse que ese término, en el sentido en que se lo usa aquí,
tiene una historia. La Biblia habla de amor a sí mismo cuando ordena «ama a
tu prójimo como a *ti mismo*», y Meister Eckhart habla de amor a sí mismo en
el mismo sentido.
[14] Calvino, *Institutes of the Christian Religion* (versión inglesa de J. Al-
bau), Filadelfia, Presbyterian Board of Christian Education, 1928, cap. 7,
parte 4, pág. 622.

Surgen los problemas siguientes: ¿La observación psico-
lógica sustenta la tesis de que hay una contradicción básica entre el amor a sí mismo y el amor a los demás? ¿Es el amor a sí
mismo un fenómeno similar al egoísmo, o son opuestos? Y ¿es
el egoísmo del hombre moderno realmente una *preocupación
por sí mismo* como individuo, con todas sus potencialidades in-
telectuales, emocionales y sensuales? ¿No se ha convertido «él»
en un apéndice de su papel económico-social? *¿Es su egoísmo
idéntico al amor a sí mismo, o es la causa de la falta de este último?*

Antes de comenzar el examen del aspecto psicológico del
egoísmo y del amor a sí mismo, debemos destacar la falacia
lógica que implica la noción de que el amor a los demás y el
amor a uno mismo se excluyen recíprocamente. Si es una virtud amar al prójimo como a uno mismo, debe serlo también
—y no un vicio— que me ame a mí mismo, puesto que también
yo soy un ser humano. No hay ningún concepto del hombre en
el que yo no esté incluido. Una doctrina que proclama tal exc-
lusión demuestra ser intrínsecamente contradictoria. La idea
expresada en el biblico «Ama a tu prójimo como a ti mismo»,
implica que el respeto por la propia integridad y unicidad, el
amor y la comprensión del propio sí mismo, no pueden separarse del respeto, el amor y la comprensión del otro individuo.
El amor a sí mismo está inseparablemente ligado al amor a
cualquier otro ser.

Hemos llegado ahora a las premisas psicológicas básicas
que fundamentan las conclusiones de nuestro argumento. En
términos generales, dichas premisas son las siguientes: no sólo
los demás, sino nosotros mismos, somos «objeto» de nuestros
sentimientos y actitudes; las actitudes para con los demás y
para con nosotros mismos, lejos de ser contradictorias, son
básicamente *conjuntivas*. En lo que toca al problema que examinamos, eso significa: el amor a los demás y el amor a nosotros mismos no son alternativas. Por el contrario, en todo individuo capaz de amar a los demás se encontrará una actitud de

amor a sí mismo. El *amor*, en principio, es *indivisible en lo que
atañe a la conexión entre los «objetos» y el propio ser*. El amor
genuino constituye una expresión de la productividad, y en-
traña cuidado, respeto, responsabilidad y conocimiento. No es
un «afecto» en el sentido de que alguien nos afecte, sino un es-
forzarse activo arraigado en la propia capacidad de amar y
que tiende al crecimiento y la felicidad de la persona amada.

Amar a alguien es la realización y concentración del poder
de amar. La afirmación básica contenida en el amor se dirige
hacia la persona amada como una encarnación de las cualidades esencialmente humanas. Amar a una persona implica amar
al hombre como tal. El tipo de «división del trabajo», como lo
llamó William James, que consiste en amar a la propia familia
pero ser indiferente al «extraño», es un signo de una incapacidad básica de amar. El amor al hombre no es, como a menudo
se supone, una abstracción que sigue al amor a una persona específica, sino que constituye su premisa, aunque genéticamente
se adquiera al amar a individuos específicos.

De ello se deduce que mi propia persona debe ser un objeto
de mi amor al igual que lo es otra persona. *La afirmación de la
vida, felicidad, crecimiento y libertad propios, está arraigada
en la propia capacidad de amar,* esto es, en el cuidado, el respeto, la responsabilidad y el conocimiento. Si un individuo es
capaz de amar productivamente, también se ama a sí mismo;
si *sólo* ama a los demás, no puede amar en absoluto.

Dando por establecido que el amor a sí mismo y a los demás es conjuntivo, ¿cómo explicamos el egoísmo, que excluye
evidentemente toda genuina preocupación por los demás? La
persona *egoísta* sólo se interesa por sí misma, desea todo para
sí misma, no siente placer en dar, sino únicamente en tomar.
Considera el mundo exterior sólo desde el punto de vista de lo
que puede obtener de él; carece de interés en las necesidades
ajenas y de respeto por la dignidad e integridad de los demás.
No ve más que a sí misma; juzga a todos según su utilidad; es
básicamente incapaz de amar. ¿No prueba eso que la preocu-

pación por los demás y por uno mismo son alternativas inevitables? Sería así si el egoísmo y el autoamor fueran idénticos. Pero tal suposición es precisamente la falacia que ha llevado a tantas conclusiones erróneas con respecto a nuestros problemas. *El egoísmo y el amor a sí mismo, lejos de ser idénticos, son realmente opuestos*. El individuo egoísta no se ama demasiado, sino muy poco; en realidad, se odia. Tal falta de cariño y cuidado por sí mismo, que no es sino la expresión de su falta de productividad, lo deja vacío y frustrado. Se siente necesariamente infeliz y ansiosamente preocupado por arrancar a la vida las satisfacciones que él se impide obtener. Parece preocuparse demasiado por sí mismo, pero, en realidad, sólo realiza un fracasado intento de disimular y compensar su incapacidad de cuidar de su verdadero ser. Freud sostiene que el egoísta es narcisista, como si negara su amor a los demás y lo dirigiera hacia sí. *Es verdad que las personas egoístas son incapaces de amar a los demás, pero tampoco pueden amarse a sí mismas*.

Es más fácil comprender el egoísmo comparándolo con la ávida preocupación por los demás, como la que encontramos, por ejemplo, en una madre sobreprotectora. Si bien ella cree conscientemente que es en extremo cariñosa con su hijo, en realidad tiene una hostilidad hondamente reprimida contra el objeto de sus preocupaciones. Sus cuidados exagerados no obedecen a un amor excesivo al niño, sino a que debe compensar su total incapacidad de amarlo.

Esta teoría de la naturaleza del egoísmo surge de la experiencia psicoanalítica con la «generosidad» neurótica, un síntoma de neurosis observado en no pocas personas, que habitualmente no están perturbadas por ese síntoma, sino por otros relacionados con él, como depresión, fatiga, incapacidad de trabajar, fracaso en las relaciones amorosas, etc. No sólo ocurre que no consideran esa generosidad como un «síntoma»; frecuentemente es el único rasgo caracterológico redentor del que esas personas se enorgullecen. La persona «generosa» «no quiere nada para sí misma»; «sólo vive para los demás», está

orgullosa de no considerarse importante. Le intriga descubrir
que, a pesar de su generosidad, no es feliz, y que sus relaciones
con los más íntimos allegados son insatisfactorias. La labor
analítica demuestra que esa generosidad no es algo aparte de
los otros síntomas, sino uno de ellos —de hecho, muchas veces
es el más importante—; que la capacidad de amar o de disfrutar de esa persona está paralizada; que está llena de hostilidad
hacia la vida y que, detrás de la fachada de generosidad, se
oculta un intenso egocentrismo, sutil, pero no por ello menos
intenso. Esa persona sólo puede curarse si también su generosidad se interpreta como un síntoma junto con los demás,
de modo que su falta de productividad, que está en la raíz
de su generosidad y de las otras perturbaciones, pueda co-
rregirse.

La naturaleza de esa generosidad se torna particularmente
evidente en su efecto sobre los demás y, con mucha frecuencia
en nuestra cultura, en el efecto que la madre «generosa» ejerce
sobre sus hijos. Ella cree que, a través de su generosidad, sus
hijos experimentarán lo que significa ser amado y aprenderán,
a su vez, a amar. Sin embargo, el efecto de su generosidad no
corresponde en absoluto a sus expectaciones. Los niños no demuestran la felicidad de personas convencidas de que se los
ama; están angustiados, tensos, temerosos de la desaprobación
de la madre y ansiosos de responder a sus expectativas. Habitualmente, se sienten afectados por la oculta hostilidad de la
madre contra la vida, que sienten, pero sin percibirla con claridad, y, eventualmente, se empapan de ella. En conjunto, el
efecto producido por la madre «generosa» no es demasiado diferente del que ejerce la madre egoísta, y aun puede resultar
más nefasto, puesto que la generosidad de la madre impide que
los niños la critiquen. Se los coloca bajo la obligación de no de-
silusionarla; se les enseña, bajo la máscara de la virtud, a no
gustar de la vida. Si se tiene la oportunidad de estudiar el
efecto producido por una madre con genuino amor a sí misma,
se ve que no hay nada que lleve más a un niño a la experiencia

de lo que son la felicidad, el amor y la alegría, que el amor de una madre que se ama a sí misma.

Meister Eckhart ha sintetizado magníficamente estas ideas: «Si te amas a ti mismo, amas a todos los demás como a ti mismo. Mientras ames a otra persona menos que a ti mismo, no lograrás realmente amarte, pero si amas a todos por igual, incluyéndote a ti, los amarás como una sola persona y esa persona es a la vez Dios y el hombre. Así, pues, es una persona grande y virtuosa la que amándose a sí misma, ama igualmente a todos los demás»[15].

e. Amor a Dios.

Dijimos antes que la base de nuestra necesidad de amar está en la experiencia de separatidad y la necesidad resultante de superar la angustia de la separatidad por medio de la experiencia de la unión. La forma religiosa del amor, lo que se denomina amor a Dios, es, desde el punto de vista psicológico, de índole similar. Surge de la necesidad de superar la separatidad y lograr la unión. En realidad, el amor a Dios tiene tantos aspectos y cualidades distintos como el amor al hombre —y en gran medida encontramos en él las mismas diferencias—.

En todas las religiones teístas, sean politeístas o monoteístas, Dios representa el valor supremo, el bien más deseable. Por lo tanto, el significado específico de Dios depende de cuál sea el bien más deseable para una determinada persona. La comprensión del concepto de Dios debe comenzar, en consecuencia, con un análisis de la estructura caracterológica de la persona que adora a Dios.

Hasta donde tenemos conocimiento al respecto, el desarrollo de la raza humana puede caracterizarse como la emergencia del hombre de la naturaleza, de la madre, de los lazos de la sangre y el suelo. En el comienzo de la historia humana, el

---

[15] *Meister Eckhart* (versión inglesa de R. B. Blaknev). Nueva York, Harper and Brothers, 1941, pág. 204.

hombre, si bien expulsado de la unidad original con la naturaleza, se aferra todavía a esos lazos primarios. Encuentra seguridad regresando o aferrándose a esos vínculos primitivos. Siéntese identificado todavía con el mundo de los animales y de los árboles, y trata de lograr la unidad formando parte del reino natural. Muchas religiones primitivas son manifestaciones de esa etapa evolutiva. Un animal se transforma en un tótem; se utilizan máscaras de animales en los actos religiosos o en la guerra; se adora a un animal como dios. En una etapa posterior de evolución, cuando la habilidad humana se ha desarrollado hasta alcanzar la del artesano o el artista, cuando el hombre no depende ya exclusivamente de los dones de la naturaleza —la fruta que encuentra y el animal que mata— el hombre transforma el producto de su propia mano en un dios. Es ésa la etapa de la adoración de ídolos hechos de arcilla, plata u oro. El hombre proyecta sus poderes y habilidades propios en las cosas que hace, y así, a distancia, adora sus proezas, sus posesiones. En una etapa ulterior, el hombre da a sus dioses la forma de seres humanos. Parece que eso sólo puede ocurrir cuando el hombre se ha tornado más consciente de sí mismo, y cuando ha descubierto al hombre como la «cosa» más elevada y digna en el mundo. En esa fase de adoración de un dios antropomórfico, encontramos una evolución de dos dimensiones. Una se refiere a la naturaleza femenina o masculina de los dioses, la otra al grado de madurez alcanzada por el hombre, grado que determina la naturaleza de sus dioses y la naturaleza de su amor a ellos.

Hablemos en primer término del paso desde las religiones matriarcales a las patriarcales. De acuerdo con los notables y decisivos descubrimientos de Bachofen y Morgan a mediados del siglo pasado, y a pesar de que la mayoría de los círculos académicos rechazó esos hallazgos, no parecen existir dudas acerca de la existencia de una fase matriarcal de la religión, anterior a la patriarcal, por lo menos en muchas culturas. En la fase matriarcal, el ser superior es la madre. Es la diosa, y asimismo la autoridad en la familia y la sociedad. Para comprender la esencia de la religión matriarcal basta recordar lo dicho sobre la esencia del amor materno. El amor de la madre es incondicional, y también es omniprotector y envolvente; como es incondicional, tampoco puede controlarse o adquirirse. Su presencia da a la persona amada una sensación de dicha; su ausencia produce un sentimiento de abandono y profunda desesperación. Puesto que la madre ama a sus hijos porque son sus hijos, y no porque sean «buenos», obedientes, o cumplan sus deseos y órdenes, el amor materno se basa en la igualdad. Todos los hombres son iguales, porque son todos hijos de una madre, porque todos son hijos de la Madre Tierra.

La etapa siguiente de la evolución humana, la única que conocemos plenamente y a cuyo respecto no tenemos necesidad de confiar en inferencias y reconstrucciones, es la fase patriarcal. En ella, la madre pierde su posición suprema y el padre se convierte en el Ser Supremo, tanto en la religión como en la sociedad. La naturaleza del amor del padre le hace tener exigencias, establecer principios y leyes, y a que su amor al hijo dependa de la obediencia de éste a sus demandas. Prefiere al hijo que más se le asemeja, al más obediente y capacitado para sucederle, como heredero de todas sus posesiones. (El desarrollo de la sociedad patriarcal es paralelo al de la propiedad privada.) Como consecuencia, la sociedad patriarcal es jerárquica; la igualdad de los hermanos se transforma en competencia y lucha mutua. Sea que consideremos las culturas india, egipcia o griega, o las religiones judeo-cristiana o islámica, nos encontramos en medio de un mundo patriarcal, con dioses masculinos, sobre los que reina un dios principal, o donde todos los dioses han sido eliminados menos Uno, *el* Dios. Sin embargo, puesto que es imposible arrancar del corazón humano el anhelo de amor materno, no es sorprendente que la figura de la madre amante no se haya podido expulsar totalmente del panteón. En la religión judía, los aspectos maternos de Dios vuelven a introducirse, en especial en las diversas co-

rrientes místicas. En la religión católica, la Iglesia y la Virgen
simbolizan a la Madre. Ni siquiera en el protestantismo permanece oculta. Lutero estableció como principio fundamental que
nada de lo que el hombre *hace* puede procurarle el amor de
Dios. El amor de Dios es Gracia, la actitud religiosa consiste
en tener fe en esa gracia, y hacerse pequeño y desvalido; las
buenas obras no pueden influir sobre Dios —o hacer que Dios
nos ame, como postulan las doctrinas católicas—. Aquí es evidente que la doctrina católica de las buenas obras forma parte
del cuadro patriarcal; es posible alcanzar el amor del padre
mediante la obediencia y el cumplimiento de sus exigencias. La
doctrina luterana, en cambio, a pesar de su manifiesto carácter
patriarcal, contiene un elemento matriarcal soslayado. El amor
de la madre no puede adquirirse; está ahí, o no; todo lo que
puedo hacer es tener fe (como dice el salmista: «Sobre los pechos de mi madre, me hiciste estar confiado»[16]), y transfor-
marme en una criatura desvalida e impotente. Pero la peculia-
ridad de la fe de Lutero consiste en que la figura de la madre
desapareció del cuadro manifiesto y fue reemplazada por la del
padre; en lugar de la certeza de ser amado por la madre, se
convierte en rasgo fundamental la intensa duda, el esperar,
contra toda esperanza, el amor incondicional del *padre*.

He tenido que examinar la diferencia entre los elementos
matriarcales y patriarcales en la religión para mostrar que el
carácter del amor a Dios depende de la respectiva gravitación
de los aspectos matriarcales y patriarcales en la religión. El aspecto patriarcal me hace amar a Dios como a un padre; su-
pongo que es justo y severo, que castiga y recompensa; y, evidentemente, que me elegirá como hijo favorito, tal como Dios
eligió a Abraham-Israel, como Isaac eligió a Jacob, como Dios
elige a su pueblo favorito. En el aspecto matriarcal de la religión, amo a Dios como a una madre omnímoda. Tengo fe en
su amor y sé que pese a cuan pobre e impotente sea, a cuanto

---

[16] *Salmos,* 22 : 9.

haya pecado, me amará y no amará a ninguno de sus otros hijos más que a mí; que me ocurra lo que me ocurriere, me rescatará, me salvará, me perdonará. Innecesario es decir que mi amor a Dios y el amor de Dios a mí son inseparables. Si Dios es un padre, me ama como a un hijo, y yo lo amo como a un padre. Si Dios es una madre, este hecho determina su amor y mi amor.

Esa diferencia entre los aspectos maternos y paternos del amor a Dios es, empero, sólo uno de los factores que determinan la naturaleza de ese amor; el otro factor es el grado de madurez alcanzado por el individuo y, por lo tanto, en su concepto de Dios y su amor a Dios.

Dado que la raza humana evolucionó desde una estructura societal centrada en la madre a una centrada en el padre, es principalmente en el desenvolvimiento de la religión patriarcal donde podemos observar el desarrollo de un amor maduro[17]. Al comienzo de esa evolución, encontramos un Dios despótico, celoso, que considera que el hombre que él ha creado es su propiedad, y que tiene derecho a hacer con él cuanto quiera. Es ésa la fase religiosa en la que Dios arroja al hombre del paraíso, para que no coma del árbol del saber y se convierta así en Dios mismo; es la fase en la que Dios decide destruir la raza humana mediante el diluvio, porque ninguno de sus miembros le gusta, con la excepción de su hijo favorito, Noé; es la fase en la que Dios le exige a Abraham que mate a su único y amado hijo Isaac, para probar su amor por Él con un acto de total obediencia. Pero al mismo tiempo comienza una nueva etapa; Dios hace un pacto con Noé, por el cual le promete no volver a destruir jamás la raza humana, un pacto en el cual él mismo se compromete. No sólo está atado por sus promesas, sino por su

[17] Eso es verdad especialmente en lo que atañe a las religiones monoteístas de occidente. En las religiones indias las figuras maternas han conservado buena parte de su influencia, por ejemplo, en la diosa Kali; en el budismo y en el taoísmo, el concepto de un dios —o de una diosa— carecía de significación esencial, si es que no había sido eliminado por completo.

propio principio de justicia, y sobre esa base Dios debe someterse al pedido de Abraham de no destruir Sodoma si en ella
hay por lo menos diez hombres justos. Pero la evolución va
más allá de transformar a Dios, de la figura de un despótico
jefe de tribu en un padre amante, en un padre que está sometido al principio que él mismo ha postulado; tiende a que Dios
deje de ser la figura de un padre y se convierta en el símbolo de
sus principios, los de justicia, verdad y amor. Dios *es* verdad,
Dios *es* justicia. En ese desarrollo, Dios deja de ser una per
sona, un hombre, un padre; se convierte en el símbolo del principio de unidad subyacente a la multiplicidad de los fenómenos, de la visión de la flor que crecerá de la semilla espiritual
que alberga el hombre en su interior. Dios no puede tener un
nombre. Un nombre siempre denota una cosa, o una persona,
algo finito. ¿Cómo puede Dios tener un nombre, si no es una
persona ni una cosa?

El incidente más notable de ese cambio es el relato bíblico
de la revelación de Dios a Moisés. Cuando Moisés le dice que
los hebreos no creerán que Dios lo ha enviado, a menos que
pueda decirles el nombre de Dios (¿cómo podrían los adorado-
res de ídolos comprender un Dios sin nombre, puesto que la
esencia misma de un ídolo es tener un nombre?), Dios hace
una concesión. Dice a Moisés que su nombre es «Yo soy el que
soy». «Yo soy el que seré es mi nombre.» El «yo soy el que
seré» significa que Dios no es finito, que no es una persona, un
«ser». La traducción más adecuada de la frase sería: dile que
«mi nombre es sinnombre». La prohibición de hacer imágenes
de Dios, de pronunciar su nombre en vano, y eventualmente,
de pronunciar su nombre en absoluto, apunta a la misma finalidad, la de liberar al hombre de la idea de que Dios es un padre, una persona. En el desarrollo teológico ulterior, la idea se
transforma en el principio de que ni siquiera deben darse a
Dios atributos positivos. Decir que Dios es sabio, poderoso,
bueno, implica nuevamente que es una persona; todo lo que
puedo hacer es decir lo que Dios *no* es, enumerar sus atributos

negativos, postular que *no* es limitado, que no es malo, que no es injusto. Cuanto más sé lo que Dios *no* es, mayor es mi conocimiento de Dios[18].

Si seguimos la maduración de la idea monoteísta en sus consecuencias ulteriores sólo llegaremos a una conclusión: no mencionar para nada el nombre de Dios, no hablar *acerca* de Dios. Dios se convierte entonces en lo que es potencialmente en la teología monoteísta, el Uno sin nombre, un balbuceo inexpresable, que se refiere a la unidad subyacente al universo fenoménico, la fuente de toda existencia; Dios se torna verdad, amor, justicia. Dios es yo, en la medida en que soy humano.

Es evidente que tal evolución desde el principio antropomórfico al puro monoteísmo establece una diferencia fundamental en la naturaleza del amor a Dios. El Dios de Abraham puede amarse o temerse, como un padre, y su aspecto predominante es a veces la tolerancia, a veces la ira. En el grado en que Dios es el padre, yo soy el hijo. No he emergido plenamente del deseo autista de omnisciencia y omnipotencia. No he adquirido aún la objetividad necesaria para percatarme de mis limitaciones como ser humano, de mi ignorancia, mi desvalidez. Reclamo aún, como una criatura, que haya un padre que me rescate, que me vigile, que me castigue, un padre que me aprecie cuando soy obediente, que se sienta halagado por mis loas y enojado a causa de mi desobediencia. Es notorio que la mayoría de la gente no ha superado, en su evolución personal, esa etapa infantil, y de ahí que su fe en Dios signifique creer en un padre protector —una ilusión infantil—. Esta sigue siendo la forma predominante, a pesar del hecho de que algunos grandes maestros de la raza humana y un pequeño número de hombres hayan superado ese concepto de la religión.

En la medida en que las cosas son así, la crítica de la idea de Dios, tal como la expresó Freud, es correcta. El error, sin

[18] Cf. el concepto de Maimónides de los atributos negativos de Dios en la *Guía de los Perplejos*.

embargo, está en el hecho de que no tuvo en cuenta el otro aspecto de la religión monoteísta, y su verdadero núcleo, cuya lógica lleva exactamente a la negación de este concepto de Dios. La persona verdaderamente religiosa, que capta la esencia de la idea monoteísta, no reza por nada, no espera nada de Dios; no ama a Dios como un niño a su padre o a su madre; ha adquirido la humildad necesaria para percibir sus limitaciones, hasta el punto de saber que no sabe nada acerca de Dios. Dios se convierte para ella en un símbolo en el que el hombre, en una etapa más temprana de su evolución, ha expresado la totalidad de lo que se esfuerza por alcanzar, el reino del mundo espiritual, del amor, la verdad, la justicia. Tiene fe en los principios que «Dios» representa; piensa la verdad, vive el amor y la justicia, y considera que su vida toda es valiosa sólo en la medida en que le da la oportunidad de llegar a un desenvolvimiento cada vez más pleno de sus poderes humanos —como la única realidad que cuenta, el único objeto de «fundamental importancia»—; y, eventualmente, no habla de Dios —ni siquiera menciona su nombre—. Amar a Dios, si usara esa palabra, significaría entonces anhelar el logro de la plena capacidad de amar, para la realización de lo que «Dios» representa en uno mismo.

Desde ese punto de vista, la consecuencia lógica del pensamiento monoteísta es la negación de toda «teología», de todo «conocimiento de Dios». No obstante, sigue habiendo una diferencia entre tan radical concepción no-teológica y un sistema noteísta, por ejemplo, en el budismo primitivo o en el taoísmo.

En todos los sistemas teístas, aun los místicos y no-teológicos, existe el supuesto de la realidad del reino espiritual, que trasciende al hombre, que da significado y validez a los poderes espirituales del hombre y a sus esfuerzos por alcanzar la salvación y el nacimiento interior. En un sistema no-teísta no existe un reino espiritual fuera del hombre o trascendente a él. El reino del amor, la razón y la justicia existe como una realidad únicamente porque el hombre ha podido desenvolver esos poderes en sí mismo a través del proceso de su evolución y sólo en esa medida. En tal concepción, la vida no tiene otro sentido que el que el hombre le da; el hombre está completamente solo, salvo en la medida en que ayuda a otro.

Puesto que he hablado del amor a Dios, quiero aclarar que, personalmente, no pienso en función de un concepto teísta, y que, en mi opinión, el concepto de Dios es sólo un concepto históricamente condicionado, en el que el hombre ha expresado su experiencia de sus poderes superiores, su anhelo de verdad y de unidad en determinado período histórico. Pero creo también que las consecuencias de un monoteísmo estricto y la preocupación fundamental no-teísta por la realidad espiritual son dos puntos de vista que, aunque diferentes, no se contradicen necesariamente.

Pero aquí surge otra dimensión de la cuestión del amor a Dios, que debemos analizar para medir la profundidad del problema. Me refiero a una diferencia fundamental en la actitud religiosa entre Oriente (China e India) y el Occidente, diferencia que cabe expresar en función de conceptos lógicos. Desde Aristóteles, el mundo occidental ha seguido los principios lógicos de la filosofía aristotélica. Esa lógica se basa en el principio de identidad que afirma que A es A, el principio de contradicción (A no es no A) y el principio del tercero excluido (A no puede ser A y no A, tampoco A ni *no* A). Aristóteles explica claramente su posición en el siguiente pasaje: «Es imposible que una misma cosa simultáneamente pertenezca y no pertenezca a la misma cosa y en el mismo sentido, sin perjuicio de otras determinaciones que podrían agregarse para enfrentar las objeciones lógicas. Este es, entonces, el más cierto de todos los principios...»[19].

Este axioma de la lógica aristotélica está tan hondamente arraigado en nuestros hábitos de pensamiento que se siente

---

[19] Aristóteles, *Metafísica,* libro 3, 1005b, 20.

como «natural» y autoevidente, mientras que, por otra parte, la confirmación de que X es A *y* no es A parece insensata. (Desde luego, la afirmación se refiere al sujeto X en un momento dado, no a X ahora y a X más tarde, o a un aspecto de X frente a otro aspecto.)

En oposición a la lógica aristotélica, existe la que podríamos llamar *lógica paradójica,* que supone que A y no-A no se excluyen mutuamente como predicados de X. La lógica paradójica predominó en el pensamiento chino e indio, en la filosofía de Heráclito, y posteriormente, con el nombre de dialéctica, se convirtió en la filosofía de Hegel y de Marx. Lao-tsé formuló claramente el principio general de la lógica paradójica: *«Las palabras que son estrictamente verdaderas parecen ser paradójicas»*[20]. Y Chuang-tzu: «Lo que es uno es uno. Aquello que es no-uno, también es uno.» Tales formulaciones de la lógica paradójica son positivas: *es y no es.* Otras son negativas: *no es esto ni aquello.* Encontramos la primera expresión en el pensamiento taoísta, en Heráclito y en la dialéctica de Hegel; la segunda formulación es frecuente en la filosofía india.

Aunque estaría más allá de los propósitos de este libro intentar una descripción más detallada de la diferencia entre la lógica aristotélica y la paradójica, mencionaré unos pocos ejemplos para hacer más comprensible el principio. La lógica paradójica tiene en Heráclito su primera manifestación filosófica en el pensamiento occidental. Heráclito afirma que el conflicto entre los opuestos es la base de toda existencia. «Ellos no comprenden», dice «que el Uno total, divergente en sí mismo, es idéntico a sí mismo: *armonía de tensiones opuestas,* como en el arco y en la lira»[21]. O aun con mayor claridad: «Nos bañamos en el mismo río y, sin embargo, no en el mismo;

[20] Lao-tsé, *The Tâo Teh King, The Sacred Books of the East,* ed. por F. Max Mueller, Vol. XXXIX, Londres, Oxford University Press, 1927, pág. 120.
[21] W. Capelle, *Die Vorsokratiker,* Stuttgart, Alfred Kroener Verlag, 1953, pág. 134 (Mi traducción, E. F.).

somos nosotros y no somos nosotros[22]. O bien: «Uno y lo mismo se manifiesta en las cosas como vivo y muerto, despierto y dormido, joven y viejo»[23].

En la filosofía de Lao-tsé la misma idea exprésase en una forma más poética. Un ejemplo característico del pensamiento paradójico taoísta es el siguiente: «La gravedad es la raíz de la liviandad; la quietud es la rectora del movimiento»[24]. O bien: «El Tao en su curso regular no hace nada y, por lo tanto, no hay nada que no haga»[25]. O bien: «Mis palabras son muy fáciles de conocer y muy fáciles de practicar; pero no hay nadie en el mundo capaz de conocerlas y practicarlas»[26]. En el pensamiento taoísta, así como en el pensamiento indio y socrático, el nivel más alto al que puede conducirnos el pensamiento es conocer lo que no conocemos: «Conocer y, no obstante [pensar] que no conocemos es el más alto [logro]; no conocer [y sin embargo pensar] que conocemos es una enfermedad»[27]. Que el Dios supremo no pueda nombrarse no es sino una consecuencia de esa filosofía. La realidad final, lo Uno fundamental, no puede encerrarse en palabras o en pensamientos. Como dice Lao-tsé, «El Tao que puede ser hallado, no es el Tao permanente y estable. El nombre que puede nombrarse no es el nombre permanente y estable»[28]. O, en una formulación distinta: «Lo miramos y no lo vemos, y lo llamamos el 'Ecuable'. Lo escuchamos y no lo oímos, y lo llamamos el 'Inaudible'. Tratamos de captarlo, y no logramos hacerlo, y lo nombramos el 'Sutil'. Con estas tres cualidades no puede ser sujeto de descripción; y por eso las fundimos y obtenemos El Uno»[29]. Y aun

[22] *Ibídem*, pág. 132.
[23] *Ibídem*, pág. 133.
[24] Mueller, *op. cit.*, pág. 69.
[25] *Ibídem*, pág. 79.
[26] *Ibídem*, pág. 112.
[27] *Ibídem*, pág. 113.
[28] *Ibídem*, pág. 47.
[29] *Ibídem*, pág. 57.

otra formulación de la misma idea: «El que conoce [el Tao] no
(necesita) hablar (sobre él); el que está [siempre dispuesto a]
hablar sobre él no lo conoce»[30].

La filosofía brahmánica se preocupaba por la relación entre la multiplicidad (de los fenómenos) y la unidad (Brahma).
Pero la filosofía paradójica no debe confundirse en la India ni
en la China con un punto de vista *dualista*. La armonía (unidad) consiste en la posición conflictual que la constituye. «El
pensamiento brahmánico desde el principio giró alrededor de
la paradoja de los antagonismos simultáneos —y no obstante—
identidad de las fuerzas y formas manifiestas del mundo fenoménico...»[31] El poder esencial en el Universo y en el hombre
trasciende tanto la esfera conceptual como la sensible. No es,
por lo tanto, «ni esto ni aquello». Pero, como advierte Zimmer,
«no hay antagonismo entre 'real e irreal' en esta realización estrictamente nodualista»[32]. En su búsqueda de la unidad más
allá de la multiplicidad, los pensadores brahmánicos llegaron a
la conclusión de que el par de opuestos que se percibe no refleja la naturaleza de las cosas, sino la de la mente percipiente.
El pensamiento percipiente debe trascenderse a sí mismo para
alcanzar la verdadera realidad. La oposición es una categoría
de la mente humana, no un elemento de la realidad. En el Rig-
Veda, el principio se expresa en la siguiente forma: «Yo soy los
dos, la fuerza vital y el material vital, los dos a la vez.» La consecuencia extrema de la idea de que el pensamiento sólo puede
percibir en contradicciones aparece en forma aún más drástica
en la teoría vedanta, que postula que el pensamiento —a pesar
de su fino discernimiento— es «sólo un más sutil horizonte de
ignorancia, en realidad, el más sutil de todos los engañosos re-
cursos de maya»[33].

[30] *Ibídem*, pág. 100.
[31] H. R. Zimmer, *Philosophies of India*, Nueva York, Pantheon Books,
1951.
[32] *Ibídem*.
[33] *Ibídem*, pág. 424.

La lógica paradójica tiene una significativa relación con el concepto de Dios. En el grado en que Dios representa la realidad esencial, y la mente humana percibe la realidad en contradicciones, no puede hacerse afirmación positiva alguna acerca de Dios. En los Vedas, la idea de un Dios omnisapiente y omnipotente se considera la forma más extrema de ignorancia[34]. Vemos aquí la conexión con la falta de nombre del Tao, el nombre innominado del Dios que se revela a Moisés, la «Nada absoluta» de Meister Eckhart. El hombre sólo puede conocer la negación, y nunca la posición de la realidad esencial. «Mientras tanto, el hombre no puede conocer lo que Dios es, aunque tenga plena conciencia de lo que Dios no es... Así satisfecha con nada, la mente clama el bien supremo.»[35] Para Meister Eckhart, «El Divino es una negación de las negaciones, y una negativa de las negativas... Todas las criaturas contienen una negación: una niega que es la otra»[36]. Es tan sólo como una consecuencia ulterior que Dios se convierte para Meister Eckhart en «La Nada absoluta», tal como la realidad esencial es el «En Sof», lo Sin Fin, para la Cábala.

He examinado la diferencia entre la lógica aristotélica y la paradójica con el propósito de preparar el terreno para una importante distinción en el concepto del amor a Dios. Los maestros de la lógica paradójica afirman que el hombre puede percibir la realidad sólo en contradicciones, y que su *pensamiento* es incapaz de captar la realidad-unidad esencial, lo Uno mismo. Ello trajo como consecuencia que no se aspira como finalidad última a descubrir la respuesta en el *pensamiento*. Este sólo nos dice que no puede darnos la última respuesta. El mundo del pensamiento permanece envuelto en la paradoja. La única forma como puede captarse el mundo en su esencia reside, no en el pensamiento, sino en el acto, en la experiencia de unidad.

---

[34] *Ibídem*, pág. 424.
[35] *Meister Eckhart*, Nueva York, Harper and Brothers, 1941, pág. 114.
[36] *Ibídem*, pág. 247. Cf. también la teología negativa de Maimónides.

La lógica paradójica llega así a la conclusión de que el amor a Dios no es el conocimiento de Dios mediante el pensamiento, ni el pensamiento del propio amor a Dios, sino el acto de experimentar la unidad con Dios.

Por lo tanto, lo más importante es la forma correcta de vivir. Toda la vida, cada acción, banal o importante, se dedica al conocimiento de Dios, pero no a un conocimiento por medio del pensamiento correcto, sino de la acción correcta. Las religiones orientales constituyen una clara ilustración de ese concepto. Tanto en el brahmanismo como en el budismo y el taoísmo, la finalidad fundamental de la religión no es la creencia correcta, sino la acción correcta. Lo mismo ocurre en la religión judía. Prácticamente no se registra en la tradición judía ningún cisma por cuestiones de creencia (la única gran excepción, la diferencia entre fariseos y saduceos, se produjo esencialmente entre dos clases sociales opuestas). La religión judía asignaba especial importancia (particularmente desde el comienzo de la era cristiana) a la forma correcta de vivir, el Halacha (palabra que, en realidad, tiene casi el mismo sentido que el Tao).

En la historia moderna, el mismo principio se expresa en el pensamiento de Spinoza, Marx y Freud. En la filosofía de Spinoza, el acento se traslada de la creencia correcta a la conducta correcta en la vida. Marx sostuvo idéntico principio cuando dijo: «Los filósofos han interpretado el mundo de distintas maneras; la tarea es transformarlo.» La lógica paradójica de Freud lo llevó al proceso de la terapia psicoanalítica, la experiencia cada vez más profunda de uno mismo.

Desde el punto de vista de la lógica paradójica, lo fundamental no es el pensamiento, sino el acto. Tal actitud tiene diversas otras consecuencias. En primer término, llevó a la *tolerancia* que encontramos en el desarrollo religioso indio y chino. Si el pensamiento correcto no constituye la última verdad ni la forma de lograr la salvación, no hay razones que justifiquen el oponerse a los que han arribado a formulaciones distintas. Esa tolerancia está bellamente expresada en la historia de varios hombres a quienes se pidió que describieran un elefante en la oscuridad. Uno de ellos, tocándole la trompa, dijo: «este animal es como una cañería»; otro, tocándole la oreja, dijo: «este animal es como un abanico»; un tercero, tocándole las patas, lo describió como una columna.

En segundo lugar, el punto de vista paradójico llevó a dar más importancia al *hombre en transformación* que al desarrollo del *dogma,* por una parte, y de la *ciencia,* por la otra. Desde el punto de vista chino, indio y místico, la tarea religiosa del hombre no consiste en pensar bien, sino en obrar bien, y en llegar a ser uno con lo Uno en el acto de la meditación concentrada.

En lo que toca a la corriente principal del pensamiento occidental, cabe afirmar lo contrario. Puesto que se esperaba encontrar la verdad fundamental en el pensamiento correcto, otorgábase especial importancia al pensar, aunque también se valoraba la acción correcta. En la evolución religiosa tal actitud condujo a la formación de dogmas, a interminables argumentos acerca de los principios dogmáticos, y a la intolerancia frente al «no creyente» o hereje. Más aún, llevó a considerar la «fe en Dios» como la principal finalidad de la actitud religiosa. Naturalmente, eso no significa que no existiese también el concepto de que se debía vivir correctamente. Pero, no obstante, la persona que creía en Dios —aunque no *viviera* a Dios— sentíase superior a los que vivían a Dios, pero no «creían» en él.

El énfasis puesto en el pensamiento posee asimismo otra consecuencia de importancia histórica. La idea de que se podía encontrar la verdad por medio del pensamiento llevó no sólo al dogma, sino también a la ciencia. En la ciencia el pensamiento correcto es todo lo que cuenta, tanto en el sentido de la honestidad intelectual como en el de su aplicación a la práctica —esto es, a la técnica—.

En resumen, la lógica paradójica llevó a la tolerancia y a un esfuerzo hacia la autotransformación. La consideración aristotélica condujo al dogma y a la ciencia, a la Iglesia Católica, y al descubrimiento de la energía atómica.

Hemos explicado ya implícitamente las consecuencias de tal diferencia entre ambos puntos de vista en lo que se refiere al problema del amor a Dios, y sólo es necesario resumirlas brevemente.

En el sistema religioso occidental predominante, el amor a Dios es esencialmente lo mismo que la fe en Dios, en su existencia, en su justicia, en su amor. El amor a Dios es fundamentalmente una experiencia mental. En las religiones orientales y en el misticismo, el amor a Dios es una intensa experiencia afectiva de unidad, inseparablemente ligada a la expresión de ese amor en cada acto de la vida. La formulación más radical de esa meta pertenece a Meister Eckhart: «Si, por lo tanto, me transformo en Dios y El me hace uno Consigo mismo, entonces, por el Dios viviente, no hay distinción alguna entre nosotros... Alguna gente cree que va a ver a Dios, que va a ver a Dios como si él estuviera allí, y ellos aquí, pero eso no ha de ocurrir. Dios y yo somos uno. Al conocer a Dios, lo tomo en mí mismo. Al amar a Dios, lo penetro»[37].

Podemos volver ahora a un importante paralelo entre el amor a los padres y el amor a Dios. Al comienzo, el niño está ligado a la madre como «fuente de toda existencia». Se siente desvalido y necesita el amor omnímodo de la madre. Luego se vuelca hacia el padre como nuevo centro de sus afectos, siendo el padre un principio rector del pensamiento y la acción; en esa etapa, lo impulsa la necesidad de conquistar el elogio del padre, y de evitar su disconformidad. En la etapa de la plena madurez, se ha liberado de las personas de la madre y del padre como poderes protector e imperativo; ha establecido en sí mismo los principios materno y paterno. Se ha convertido en su propio padre y madre; *es* padre y madre. En la historia de la raza humana observamos —y podemos anticipar— idéntico de-

---

[37] *Meister Eckhart, op. cit.*, págs. 181-2.

sarrollo desde el comienzo del amor a Dios como la desampa-
rada relación con una Diosa madre, a través de la obediencia a
un Dios paternal, hasta una etapa madura en la que Dios deja
de ser un poder exterior, en la que el hombre ha incorporado
en sí mismo los principios de amor y justicia, en la que se ha
hecho uno con Dios y, eventualmente, a un punto en que sólo
habla de Dios en un sentido poético y simbólico.

De tales consideraciones se deduce que el amor a Dios no
puede separarse del amor a los padres. Si una persona no
emerge de la relación incestuosa con la madre, el clan, la nación, si mantiene su dependencia infantil de un padre que castiga y recompensa, o de cualquier otra autoridad, no puede desarrollar un amor maduro a Dios; su religión es, entonces, la
que corresponde a la primera fase religiosa, en la que se experi-
mentaba a Dios como a una madre protectora o un padre que
castiga y recompensa.

En la religión contemporánea encontramos todas las fases,
desde la más antigua y primitiva hasta la más elevada. La palabra «Dios» denota el jefe de tribu tanto como la «Nada absoluta». En igual forma, cada individuo conserva en sí mismo, en
su inconsciente, como lo ha demostrado Freud, todas las eta-
pas desde la del infante desvalido en adelante. La cuestión es
hasta qué punto ha crecido. Una cosa es segura: la naturaleza
de su amor a Dios corresponde a la naturaleza de su amor al
hombre, y, además, la verdadera cualidad de su amor a Dios y
al hombre es con frecuencia inconsciente —encubierta y racionalizada por una idea más madura de lo que su amor es—. El
amor al hombre, además, si bien directamente arraigado en sus
relaciones con su familia, está determinado, en última instan-
cia, por la estructura de la sociedad en que vive. Si la estructura social es de sumisión a la autoridad —autoridad manifiesta
o autoridad anónima de la opinión pública y del mercado—, su
concepto de Dios será infantil y estará muy alejado del concepto maduro, cuyas semillas se encuentran en la historia de la
religión monoteísta.

III

EL AMOR Y SU DESINTEGRACIÓN EN LA
SOCIEDAD OCCIDENTAL CONTEMPORÁNEA

Si el amor es una capacidad del carácter maduro, productivo, de ello se sigue que la capacidad de amar de un individuo perteneciente a cualquier cultura dada depende de la influencia que esa cultura ejerce sobre el carácter de la persona media. Al hablar del amor en la cultura occidental contemporánea, entendemos preguntar si la estructura social de la civilización occidental y el espíritu que de ella resulta llevan al desarrollo del amor. Plantear tal interrogante es contestarlo negativamente. Ningún observador objetivo de nuestra vida occidental puede dudar de que el amor —fraterno, materno y erótico— es un fenómeno relativamente raro, y que en su lugar hay cierto número de formas de pseudoamor, que son, en realidad, otras tantas formas de la desintegración del amor.

La sociedad capitalista se basa en el principio de libertad política, por un lado, y del mercado como regulador de todas las relaciones económicas, y por lo tanto, sociales, por el otro. El mercado de productos determina las condiciones que rigen el intercambio de mercancías, y el mercado del trabajo regula la adquisición y venta de la mano de obra. Tanto las cosas útiles como la energía y la habilidad humanas se transforman en artículos que se intercambian sin utilizar la fuerza y sin fraude en las condiciones del mercado. Los zapatos, por útiles y necesarios que sean, carecen de valor económico (valor de intercambio) si no hay demanda de ellos en el mercado; la energía y la habilidad humanas no tienen valor de intercambio si no existe demanda en las condiciones existentes en el mercado. El poseedor de capital puede comprar mano de obra y hacerla trabajar para la provechosa inversión de su capital. El poseedor de mano de obra debe venderla a los capitalistas según las condiciones existentes en el mercado, o pasará hambre. Tal estructura económica se refleja en una jerarquía de valores. El capital domina al trabajo; las cosas acumuladas, lo que está muerto, tiene más valor que el trabajo, los poderes humanos, lo que está vivo.

Tal ha sido la estructura básica del capitalismo desde sus comienzos. Y si bien caracteriza todavía al capitalismo moderno, se han modificado ciertos factores que dan al capitalismo contemporáneo sus cualidades específicas y ejercen una honda influencia sobre la estructura caracterológica del hombre moderno. Como resultado del desarrollo del capitalismo, presenciamos un proceso siempre creciente de centralización y concentración del capital. Las grandes empresas se expanden continuamente, mientras las pequeñas se asfixian. La posesión del capital invertido en tales empresas está cada vez más separada de la función de administrarlas. Cientos de miles de accionistas «poseen» la empresa; una burocracia administrativa bien pagada, pero que no posee la empresa, la maneja. Esa burocracia está menos interesada en obtener beneficios máximos que en la expansión de la empresa, y en su propio poder. La concentración creciente de capital y el surgimiento de una poderosa burocracia administrativa corren parejas con el desarrollo del movimiento laboral. A través de la sindicalización del trabajo, el trabajador individual no tiene que comerciar por y para sí mismo en el mercado laboral; pertenece a grandes sindicatos, dirigidos también por una poderosa burocracia que lo representa ante los colosos industriales. La iniciativa ha pasado, para bien o para mal, del individuo a la burocracia, tanto en lo que respecta al capital como al trabajo. Un número cada vez mayor de individuos deja de ser independiente y comienza a depender de quienes dirigen los grandes imperios económicos.

Otro rasgo decisivo que resulta de esa concentración del capital, y característico del capitalismo moderno, es la forma específica de la organización del trabajo. Empresas sumamente centralizadas con una división radical del trabajo conducen a una organización donde el trabajador pierde su individualidad, en la que se convierte en un engranaje no indispensable de la máquina. El problema humano del capitalismo moderno puede formularse de la siguiente manera:

El capitalismo moderno necesita hombres que cooperen mansamente y en gran número; que quieran consumir cada vez más; y cuyos gustos estén estandarizados y puedan modificarse y anticiparse fácilmente. Necesita hombres que se sientan libres e independientes, no sometidos a ninguna autoridad, principio o conciencia moral —dispuestos, empero, a que los manejen, a hacer lo que se espera de ellos, a encajar sin dificultades en la maquinaria social—; a los que se pueda guiar sin recurrir a la fuerza, conducir, sin líderes, impulsar sin finalidad alguna —excepto la de cumplir, apresurarse, funcionar, seguir adelante—.

¿Cuál es el resultado? El hombre moderno está enajenado de sí mismo, de sus semejantes y de la naturaleza[1]. Se ha transformado en un artículo, experimenta sus fuerzas vitales como una inversión que debe producirle el máximo de beneficios posible en las condiciones imperantes en el mercado. Las relaciones humanas son esencialmente las de autómatas enajenados, en las que cada uno basa su seguridad en mantenerse cerca del rebaño y en no diferir en el pensamiento, el sentimiento o la acción. Al mismo tiempo que todos tratan de estar tan cerca de los demás como sea posible, todos permanecen tremendamente

---

[1] Cf. un estudio más detallado del apartamiento y de la influencia de la sociedad moderna sobre el carácter del hombre en mi libro *The Sane Society*, Nueva York, Rinehart and Company, 1955.

solos, invadidos por el profundo sentimiento de inseguridad, de angustia y de culpa que surge siempre que es imposible superar la separatidad humana. Nuestra civilización ofrece muchos paliativos que ayudan a la gente a ignorar conscientemente esa soledad: en primer término, la estricta rutina del trabajo burocratizado y mecánico, que ayuda a la gente a no tomar conciencia de sus deseos humanos más fundamentales, del anhelo de trascendencia y unidad. En la medida en que la rutina sola no basta para lograr ese fin, el hombre se sobrepone a su desesperación inconsciente por medio de la rutina de la diversión, la consumición pasiva de sonidos y visiones que ofrece la industria del entretenimiento; y, además, por medio de la satisfacción de comprar siempre cosas nuevas y cambiarlas inmediatamente por otras. El hombre moderno está actualmente muy cerca de la imagen que Huxley describe en *Un mundo feliz:* bien alimentado, bien vestido, sexualmente satisfecho, y no obstante sin yo, sin contacto alguno, salvo el más superficial, con sus semejantes, guiado por los lemas que Huxley formula tan sucintamente, tales como: «Cuando el individuo siente, la comunidad tambalea»; o «Nunca dejes para mañana la diversión que puedes conseguir hoy», o, como afirmación final: «Todo el mundo es feliz hoy en día.» La felicidad del hombre moderno consiste en «divertirse». Divertirse significa la satisfacción de consumir y asimilar artículos, espectáculos, comida, bebidas, cigarrillos, gente, conferencias, libros, películas; todo se consume, se traga. El mundo es un enorme objeto de nuestro apetito, una gran manzana, una gran botella, un enorme pecho; todos succionamos, los eternamente expectantes, los esperanzados —y los eternamente desilusionados—. Nuestro carácter está equipado para intercambiar y recibir, para traficar y consumir; todo, tanto los objetos materiales, como los espirituales, se convierten en objeto de intercambio y de consumo.

La situación en lo que atañe al amor corresponde, inevitablemente, al carácter social del hombre moderno. Los autómatas no pueden amar, pueden intercambiar su «bagaje de personalidad» y confiar en que la transacción sea equitativa. Una de las expresiones más significativas del amor, y en especial del matrimonio con esa estructura enajenada, es la idea del «equipo». En innumerables artículos sobre el matrimonio feliz, el ideal descrito es el de un equipo que funciona sin dificultades. Tal descripción no difiere demasiado de la idea de un empleado que trabaja sin inconvenientes; debe ser «razonablemente independiente», cooperativo, tolerante, y al mismo tiempo ambicioso y agresivo. Así, el consejero matrimonial nos dice que el marido debe «comprender» a su mujer y ayudarla. Debe comentar favorablemente su nuevo vestido, y un plato sabroso. Ella, a su vez, debe mostrarse comprensiva cuando él llega a su hogar fatigado y de mal humor, debe escuchar atentamente sus comentarios sobre sus problemas en el trabajo, no debe mostrarse enojada sino comprensiva cuando él olvida su cumpleaños. Ese tipo de relaciones no significa otra cosa que una relación bien aceitada entre dos personas que siguen siendo extrañas toda su vida, que nunca logran una «relación central», sino que se tratan con cortesía y se esfuerzan por hacer que el otro se sienta mejor.

En ese concepto del amor y el matrimonio, lo más importante es encontrar un refugio de la sensación de soledad que, de otro modo, sería intolerable. En el «amor» se encuentra, al fin, un remedio para la soledad. Se establece una alianza de dos contra el mundo, y se confunde ese egoísmo *à deux* con amor e intimidad.

La importancia que se otorga al espíritu de equipo, la tolerancia mutua, etc., es algo relativamente reciente. Lo precedió, en los años que siguieron a la Primera Guerra Mundial, un concepto del amor en el que la mutua satisfacción sexual suponíase la base de las relaciones amorosas satisfactorias, y, especialmente, de un matrimonio feliz. Creíase que las causas de los frecuentes fracasos matrimoniales obedecían a que la pareja no había logrado una adecuada «adaptación sexual», lo

cual se atribuía, a su vez, a la ignorancia respecto de la conducta sexual «correcta», y, por ende, a una teoría sexual defec-
tuosa de una o las dos partes. Con el fin de «curar» esa inadap-
tación y de ayudar a parejas desgraciadas que no podían
amarse mutuamente, se publicaron muchos libros que daban
instrucciones y consejos referentes a la conducta sexual apropiada, y prometían implícita o explícitamente la felicidad y el
amor como resultados. Se partía del principio de que el amor
es el hijo del placer sexual, y que dos personas se amarán si
aprenden a satisfacerse recíprocamente en el aspecto sexual.
Correspondía a la ilusión general de la época suponer que el
uso de las técnicas adecuadas es la solución no sólo de los problemas técnicos de la producción industrial, sino también de
todos los problemas humanos. Se desconocía totalmente el hecho de que la verdad es precisamente lo contrario.

El amor no es el resultado de la satisfacción sexual adecuada; por el contrario, la felicidad sexual —y aun el conocimiento de la llamada técnica sexual— es el resultado del amor.
Si aparte de la observación diaria fueran necesarias más pruebas en apoyo de esa tesis, podrían encontrarse en el vasto material de los datos psicoanalíticos. El estudio de los problemas
sexuales más frecuentes —frigidez en las mujeres y las formas
más o menos serias de impotencia psíquica en los hombres—,
demuestra que la causa no radica en una falta de conocimiento
de la técnica adecuada, sino en las inhibiciones que impiden
amar. El temor o el odio al otro sexo están en la raíz de las dificultades que impiden a una persona entregarse por completo,
actuar espontáneamente, confiar en el compañero sexual, en lo
inmediato y directo de la unión sexual. Si una persona sexualmente inhibida puede dejar de temer u odiar, y tornarse entonces capaz de amar, sus problemas sexuales están resueltos. Si
no, ningún conocimiento sobre técnicas sexuales le servirá de
ayuda.

Pero si bien los datos de la terapia psicoanalítica señalan la
falacia de la idea de que el conocimiento de la técnica sexual

apropiada conduce a la felicidad sexual y al amor, la suposición subyacente de que el amor es el concomitante de la mutua satisfacción sexual está determinada en alto grado por las teorías de Freud. Para Freud, el amor es básicamente un fenómeno sexual. «El hombre, al descubrir por experiencia que el amor sexual (genital) le proporcionaba su gratificación máxima, de modo que se convirtió en realidad de un prototipo de toda felicidad para él, debió, en consecuencia, haberse visto impelido a buscar su felicidad por el camino de las relaciones sexuales, a hacer de su erotismo genital el punto central de su vida.»[2] Para Freud, la experiencia del amor fraterno es un producto del amor sexual, pero en el cual el instinto sexual se transforma en un impulso con «finalidad inhibida». «Originalmente, el amor con una finalidad inhibida estaba sin duda lleno de amor sensual, y lo sigue estando aún en el inconsciente del hombre.»[3] En lo que atañe al sentimiento de fusión, de unidad («sentimiento oceánico»), que constituye la esencia de la experiencia mística y la raíz de la más intensa sensación de unión con otra persona o con nuestros semejantes, Freud lo interpreta como un fenómeno patológico, como una regresión a un estado de temprano «narcisismo ilimitado»[4].

Freud está sólo a un paso de afirmar que el amor es en sí mismo un fenómeno irracional. Para él no existe diferencia entre el amor irracional y el amor como una expresión de la personalidad madura. En un trabajo sobre el amor transferencial[5], señaló que éste no difiere esencialmente del fenómeno «normal» del amor. Enamorarse linda siempre con lo anormal, siempre se acompaña de ceguera a la realidad, compulsividad, y constituye una transferencia de los objetos amorosos de la infancia. El amor como fenómeno racional, como máximo logro de la

[2] S. Freud, *Civilization and Its Discontents* (versión inglesa de J. Rivière), Londres, The Hogarth Press, 1953, pág. 68.

[3] *Ibídem,* pág. 69.

[4] *Ibídem,* pág. 21.

[5] Freud, *Gesamte Werke,* Londres, 1940-52, Vol. X.

madurez, no es, para Freud, materia de investigación, puesto que no tiene existencia real.

Sin embargo, sería un error sobrestimar la influencia de las ideas de Freud sobre el concepto de que el amor es el resultado de la atracción sexual, o de que es lo *mismo* que la satisfacción sexual, reflejada en el sentimiento consciente. Esencialmente, el nexo causal siguió la dirección opuesta. Las ideas de Freud sufrieron en parte la influencia del espíritu del siglo diecinueve, en parte se hicieron populares a través de las tendencias predominantes en los años que siguieron a la Primera Guerra Mundial. Algunos de los factores que influyeron tanto sobre el concepto popular como sobre el freudiano, fueron, en primer término, una reacción contra las estrictas normas de la era victoriana. El segundo factor determinante de las teorías de Freud reside en el concepto de hombre prevaleciente, concepto que se basa en la estructura del capitalismo. A fin de demostrar que el capitalismo corresponde a las necesidades naturales del hombre, había que probar que el hombre era por naturaleza competitivo y hostil a los demás. Mientras los economistas «demostraban» esto en función del insaciable deseo de beneficios económicos, y los darwinistas en función de la ley biológica de la supervivencia del más apto, Freud llegó a idéntico resultado partiendo de la suposición de que el hombre está movido por un insaciable deseo de conquista sexual de todas las mujeres, y que sólo la presión de la sociedad le impide obrar de acuerdo con sus deseos. Como resultado, los hombres son necesariamente celosos los unos de los otros, y los celos y la competencia recíprocos subsistirían aunque todas sus causas sociales y económicas desaparecieran[6].

Eventualmente, el pensamiento freudiano acusó una mar-

[6] El único discípulo de Freud que nunca se separó de su maestro y que, no obstante, en los últimos años de su vida modificó sus puntos de vista sobre el amor, fue Sándor Ferenczi. Un excelente estudio sobre este tema, se encontrará en *The Leaven of Love*, de Izette de Forest, Nueva York, Harper and Brothers, 1954.

cada influencia del tipo de materialismo predominante en el siglo diecinueve. Creíase que el sustrato de todos los fenómenos mentales se encontraba en los fenómenos fisiológicos; por consiguiente, Freud consideró el amor, el odio, la ambición, los celos, como otros tantos productos de las diversas formas del instinto sexual. No vio que la realidad básica está en la totalidad de la existencia humana; en primer término, en la situación humana común a todos los hombres, en segundo lugar, en la práctica de vida determinada por la estructura específica de la sociedad. (Marx dio un paso decisivo más allá de ese tipo de materialismo, en su propio «materialismo histórico», según el cual ni el cuerpo, ni un instinto tal como la necesidad de alimento o posesiones, constituye la clave de la comprensión del hombre, sino la totalidad del proceso vital del hombre, su «práctica de la vida».) Según Freud, la satisfacción plena y desinhibida de todos los deseos instintivos aseguraría la salud mental y la felicidad. Pero hechos clínicos obvios muestran que los hombres —y las mujeres— que dedican su vida a la satisfacción sexual sin restricciones no son felices, y que a menudo sufren graves síntomas y conflictos neuróticos. La gratificación completa de todas las necesidades instintivas no sólo no constituye la base de la felicidad, sino que ni siquiera garantiza la salud mental. Las tesis freudianas pudieron llegar a popularizarse tan sólo en el período que siguió a la Primera Guerra Mundial, a causa de los cambios ocurridos en el espíritu del capitalismo, del énfasis en ahorrar al énfasis en gastar, de la autofrustración como medio de lograr el éxito económico al consumo como base de un mercado en constante expansión y como principal satisfacción para el individuo angustiado, automatizado. Tanto en la esfera de lo sexual cuanto en la del consumo material, la tendencia fundamental era no postergar la satisfacción de ningún deseo.

Es interesante comparar los conceptos de Freud, que corresponden al espíritu del capitalismo tal como existía aún intacto, en los comienzos de este siglo, con los conceptos teóri-

cos de uno de los más brillantes psicoanalistas contempo-
ráneos, ya fallecido, H. S. Sullivan. En el sistema psicoanalítico
de Sullivan encontramos, en contraste con el de Freud, una estricta división entre sexualidad y amor.

¿Qué significado tienen el amor y la intimidad en el concepto de Sullivan? «Intimidad es un tipo de situación que comprende a dos personas y que permite la validación de todos los
componentes de la excelencia personal. Tal validación requiere
un tipo de relación que llamo colaboración, entendiendo por
ella adaptaciones formuladas de la propia conducta a necesidades manifiestas de la otra persona, en persecución de satisfacciones cada vez más idénticas —esto es, satisfacciones cada
vez más mutuas, y para el mantenimiento de operaciones de
seguridad más y más similares»[7]. Si liberamos ese pasaje de su
lenguaje algo complicado, la esencia del amor se ve en una situación de colaboración, en la que dos personas sienten: «Seguimos las reglas del juego para conservar nuestro prestigio y
sentimiento de superioridad y mérito.»[8]

Así como el concepto freudiano del amor es una descripción de la experiencia del varón patriarcal en términos del capitalismo del siglo diecinueve, así la descripción de Sullivan se refiere a la experiencia de la personalidad enajenada y mercantil
del siglo veinte. Es la descripción de un «egotismo *à deux*», de
dos personas que aman sus intereses comunes y se unen frente
a un mundo hostil y enajenado. En realidad, su definición de la

[7] H. S. Sullivan, *The Interpersonal Theory of Psychiatry*, Nueva York, W.
W. Norton Co., 1953, pág. 246. Debe notarse que, aunque Sullivan da esta
definición en relación a los impulsos de la preadolescencia, habla de ellos
como tendencias integrativas, que aparecen durante la preadolescencia, «que
cuando están completamente desarrolladas, denominamos amor», y dice que
ese amor de la preadolescencia «representa el comienzo de algo muy similar
al *amor* pleno, psiquiátricamente definido».

[8] *Ibídem*, pág. 246. Otra definición del amor según Sullivan: el amor comienza cuando una persona siente que las necesidades de otra persona son
tan importantes como las propias, está menos coloreada por el aspecto mercantil que la formulación anterior.

intimidad es en principio válida para el sentimiento de cualquier equipo cooperativo, en el que todos «adaptan su conducta a las necesidades manifiestas de la otra persona, en persecución de finalidades comunes» (es notable que Sullivan hable aquí de necesidades *manifiestas,* cuando lo menos que puede decirse del amor es que implica una reacción a las necesidades *inexpresadas* entre dos seres).

El amor como satisfacción sexual recíproca, y el amor como «trabajo en equipo» y como un refugio de la soledad, constituyen las dos formas «normales» de la desintegración del amor en la sociedad occidental contemporánea, de la patología del amor socialmente determinado. Hay muchas formas individualizadas de la patología del amor, que ocasionan sufrimientos conscientes y que tanto los psiquiatras como muchos legos consideran neuróticas. Algunas de las más frecuentes se describen brevemente en los siguientes ejemplos:

La condición básica del amor neurótico radica en el hecho de que uno o los dos «amantes» han permanecido ligados a la figura de un progenitor y transfieren los sentimientos, expectaciones y temores que una vez tuvieron frente al padre o la madre, a la persona amada en la vida adulta; tales personas no han superado el patrón de relación infantil, y aspiran a repetirlo en sus exigencias afectivas en la vida adulta. En tales casos, la persona sigue siendo, desde el punto de vista afectivo, una criatura de dos, cinco o doce años, mientras que, intelectual y socialmente, está al nivel de su edad cronológica. En los casos más graves, esa inmadurez emocional conduce a perturbaciones en su afectividad social; en los más leves, el conflicto se limita a la esfera de las relaciones personales íntimas.

Con respecto a nuestro previo análisis de la personalidad centrada en la madre o en el padre, el siguiente ejemplo de ese tipo de relación neurótica amorosa frecuente hoy en día, se refiere a los hombres que, en su desarrollo emocional, han permanecido fijados a una relación infantil con la madre. Trátase de hombres que, por así decir, nunca fueron destetados; siguen sintiendo como niños; quieren la protección, el amor, el calor, el cuidado y la admiración de la madre; quieren el amor incondicional de la madre, un amor que se da por la única razón de que ellos lo necesitan, porque son sus hijos, porque están desvalidos. Tales individuos suelen ser muy afectuosos y encantadores cuando tratan de lograr que una mujer los ame, y aun después de haberlo logrado. Pero su relación con la mujer (como, en realidad, con toda la gente) es superficial e irresponsable. Su finalidad es ser amados, no amar. Suele haber mucha vanidad en ese tipo de hombre e ideas grandiosas más o menos soslayadas. Si han encontrado a la mujer adecuada, se sienten seguros, en la cima del mundo, y pueden desplegar gran cantidad de afecto y encanto, por lo cual suelen ser engañosos. Pero cuando, después de un tiempo, la mujer deja de responder a sus fantásticas aspiraciones, comienzan a aparecer conflictos y resentimientos. Si la mujer no los admira continuamente, si reclama una vida propia, si quiere sentirse amada y protegida, y en los casos extremos, si no está dispuesta a tolerar sus asuntos amorosos con otras mujeres (o aun a admirar su interés por ellas), el hombre se siente hondamente herido y desilusionado, y habitualmente racionaliza ese sentimiento con la idea de que la mujer «no lo ama, es egoísta o dominadora». Todo lo que no corresponda a la actitud de la madre amante hacia un hijo encantador, se toma como prueba de falta de amor. Esos hombres suelen confundir su conducta afectuosa, su deseo de complacer, con genuino amor, y llegan así a la conclusión de que se los trata injustamente; imaginan ser grandes amantes y se quejan amargamente de la ingratitud de su compañera.

En casos excepcionales, una persona fijada a la madre puede vivir sin perturbaciones serias. Si su madre, en realidad, lo «amó» de una manera sobreprotectora (siendo quizá dominante, pero no destructiva), si él encuentra una esposa del mismo tipo maternal, si sus dones y talentos especiales le permiten utilizar su encanto y ser admirado (como ocurre con la mayoría de los políticos de éxito), estará «bien adaptado» en el sentido social, aunque sin alcanzar nunca un nivel de madurez. Pero en condiciones menos favorables, que son, desde luego, las más frecuentes, su vida amorosa, si no su vida social, es una profunda desilusión; surgen conflictos, y a menudo angustia y depresión intensas cuando este tipo de personalidad se queda solo.

En otra forma aún más grave de la patología, la fijación a la madre es más profunda e irracional. En ese nivel, el deseo no consiste, hablando simbólicamente, en volver a los brazos protectores de la madre, a su pecho nutritivo, sino a sus entrañas que todo lo reciben —y todo lo destruyen—. Si la naturaleza de la salud mental consiste en salir de las entrañas al mundo, la naturaleza de la enfermedad mental aguda es la atracción hacia las entrañas, a introducirse nuevamente en ellas —y eso equivale a ser arrebatado de la vida—. Tal tipo de fijación se produce frecuentemente en la relación con madres que tienen con los hijos una actitud absorbente y destructiva. A veces, en nombre del amor, otras, en nombre del deber, quieren mantener al niño, al adolescente, al hombre, dentro de ellas; éste no tendría que respirar sino a través de la madre; no debería amar, sino en nivel sexual superficial —degradando a todas las otras mujeres—; no debe ser libre e independiente, sino un eterno inválido o un criminal.

Esa actitud de la madre, absorbente y destructiva, constituye el aspecto negativo de la figura materna. La madre puede dar vida, también puede tomarla. Es ella quien revive, y ella quien destruye; puede hacer milagros de amor —y nadie puede herir tanto como ella—. En las imágenes religiosas (tales como la diosa hindú Kali) y en el simbolismo onírico, suelen encontrarse los dos aspectos opuestos de la madre.

Los casos en que la relación principal se establece con el padre ofrecen otra forma de patología neurótica.

Un caso ilustrativo es el de un hombre cuya madre es fría e indiferente, mientras que el padre (en parte como consecuencia de la frialdad de la madre) concentra todo su afecto e interés en

el hijo. Es un «buen padre», pero, al mismo tiempo, autoritario.
Cuando está complacido con la conducta de su hijo, lo elogia,
le hace regalos, es afectuoso; cuando el hijo le da un disgusto,
se aleja de él o lo reprende. El hijo, que sólo cuenta con el
afecto del padre, se comporta frente a éste como un esclavo.
Su finalidad principal en la vida es complacerlo, y cuando lo
logra, es feliz, seguro y satisfecho. Pero cuando comete un
error, fracasa o no logra complacer al padre, se siente dismi-
nuido, rechazado, abandonado. En los años posteriores, ese
hombre tratará de encontrar una figura paterna con la que
pueda mantener una relación similar. Toda su vida se convierte
en una serie de altos y bajos, según que haya logrado o no ganar el elogio del padre. Tales individuos suelen tener mucho
éxito en su carrera social. Son escrupulosos, afanosos, dignos
de confianza —siempre y cuando la imagen paternal que han
elegido sepa manejarlos—. Pero en su relación con las mujeres,
permanecen apartados y distantes. La mujer no posee una importancia central para ellos; suelen sentir un leve desprecio por
ella, generalmente oculto por una preocupación paternal por
las jovencitas. Su cualidad masculina puede impresionar ini-
cialmente a una mujer, pero ésta pronto se desilusiona, cuando
descubre que está destinada a desempeñar un papel secundario
al afecto fundamental por la figura paterna que predomina en
la vida de su esposo en un momento dado; las cosas ocurren
así, a menos que ella misma esté aún ligada a su padre y se
sienta por lo tanto feliz junto a un hombre que la trata como a
una niña caprichosa.

Más complicada es la clase de perturbación neurótica que
aparece en el amor basado en una situación paterna de distinto
tipo, que se produce cuando los padres no se aman, pero son
demasiado reprimidos como para tener peleas o manifestar signos exteriores de insatisfacción. Al mismo tiempo, su aleja-
miento les quita espontaneidad en la relación con los hijos. Lo
que una niña experimenta es una atmósfera de «corrección»,
pero nunca le permite un contacto íntimo con el padre o la ma-

dre y por consiguiente la desconcierta y atemoriza. Nunca está
segura de lo que sus padres sienten o piensan; siempre hay un
elemento desconocido, misterioso, en la atmósfera. Como resultado, la niña se retrae en un mundo propio, tiene ensoñacio-
nes, permanece alejada; y su actitud será la misma en las relaciones amorosas posteriores.

Además, la retracción da lugar al desarrollo de una angustia intensa, de un sentimiento de no estar firmemente arraigada
en el mundo, y suele llevar a tendencias masoquistas como la
única forma de experimentar una excitación intensa. Tales mujeres prefieren por lo general que el esposo les haga una escena
y les grite, a que mantenga una conducta más normal y sen-
sata, porque al menos eso las libera de la carga de tensión y
miedo; incluso llegan a veces a provocar esa conducta, con el
fin de terminar con el atormentador suspenso de la neutralidad
afectiva.

En los párrafos siguientes se describen otras formas frecuentes de amor irracional, sin entrar a analizar los factores específicos del desarrollo infantil que las originan.

Una forma de pseudoamor, que no es rara y suele experimentarse (y más frecuentemente describirse en las películas y
las novelas) como el «gran amor», es el *amor idolátrico*. Si una
persona no ha alcanzado el nivel correspondiente a una sensación de identidad, de yoidad, arraigada en el desenvolvimiento
productivo de sus propios poderes, tiende a «idolizar» a la persona amada. Está enajenada de sus propios poderes y los
proyecta en la persona amada, a quien adora como al *sum-
mum bonum,* portadora de todo amor, toda luz y toda dicha.
En ese proceso, se priva de toda sensación de fuerza, se pierde
a sí misma en la persona amada, en lugar de encontrarse.
Puesto que usualmente ninguna persona puede, a la larga, responder a las expectativas de su adorador, inevitablemente se
produce una desilusión, y para remediarla se busca un nuevo
ídolo, a veces en una sucesión interminable. Lo característico
de este tipo de amor es, al comienzo, lo intenso y precipitado

de la experiencia amorosa. El amor idolátrico suele describirse como el verdadero y grande amor; pero, si bien se pretende que personifique la intensidad y la profundidad del amor, sólo demuestra el vacío y la desesperación del idólatra. Es innecesario decir que no es raro que dos personas se idolatren mutuamente, lo cual, en los casos extremos, representa el cuadro de una *folie à deux.*

Otra forma de pseudoamor es lo que cabe llamar *amor sentimental.* Su esencia consiste en que el amor sólo se experimenta en la fantasía y no en el aquí y ahora de la relación con otra persona real. La forma más común de tal tipo de amor es la que se encuentra en la gratificación amorosa substitutiva que experimenta el consumidor de películas, novelas románticas y canciones de amor. Todos los deseos insatisfechos de amor, unión e intimidad hallan satisfacción en el consumo de tales productos. Un hombre y una mujer que, en su relación como esposos, son incapaces de atravesar el muro de separatidad, se conmueven hasta las lágrimas cuando comparten el amor feliz o desgraciado de una pareja en la pantalla. Para muchos matrimonios, ésa constituye la única ocasión en la que experimentan amor —no el uno por el otro, sino juntos, como espectadores del «amor» de otros seres—. En tanto el amor sea una fantasía, pueden participar; en cuanto desciende a la realidad de la relación entre dos seres reales, se congelan.

Otro aspecto del amor sentimental es la «abstractificación» del amor en términos de tiempo. Una pareja puede sentirse hondamente conmovida por los recuerdos de su pasado amoroso, aunque no haya experimentado amor alguno cuando ese pasado era presente, o por las fantasías de su amor futuro. ¿Cuántas parejas comprometidas o recién casadas sueñan con una dicha amorosa que se hará realidad en el futuro, pese a que en el momento en que viven han comenzado ya a aburrirse mutuamente? Esa tendencia coincide con una característica actitud general del hombre moderno. Ese vive en el pasado o en el futuro, pero no en el presente. Recuerda sentimentalmente su infancia y a su madre —o hace planes de felicidad futura—. Sea que el amor se experimente substitutivamente, participando en las experiencias ficticias de los demás, o que se traslade del presente al pasado o al futuro, tal forma abstracta y enajenada del amor sirve como opio que alivia el dolor de la realidad, la soledad y la separación del individuo.

Otra forma de amor neurótico consiste en el uso de *mecanismos proyectivos* a fin de evadirse de los problemas propios y concentrarse, en cambio, en los defectos y flaquezas de la persona «amada». Los individuos se comportan en ese sentido de manera muy similar a los grupos, naciones o religiones. Son muy sutiles para captar hasta los menores defectos de la otra persona y viven felices ignorando los propios, siempre ocupados tratando de acusar o reformar a la otra persona. Si dos personas lo hacen —como suele ocurrir—, la relación amorosa se convierte en una proyección recíproca. Si soy dominador o indeciso, o ávido, acuso de ello a mi pareja y, según mi carácter, trato de corregirla o de castigarla. La otra persona hace lo mismo y ambas consiguen así dejar de lado sus propios problemas y, por lo tanto, no dan los pasos necesarios para el progreso de su propia evolución.

Otra forma de proyección es la de los propios problemas en los niños. En primer término, tal proyección aparece con cierta frecuencia en el deseo de tener hijos. En tales casos, ese deseo está principalmente determinado por la proyección del propio problema de la existencia en el de los hijos. Cuando una persona siente que no ha podido dar sentido a su propia vida, trata de dárselo en función de la vida de sus hijos. Pero está destinada a fracasar consigo misma *y* para los hijos. Lo primero, porque cada uno puede sólo resolver por sí mismo y no por poder el problema de la existencia; lo segundo, porque carece de las cualidades que se necesitan para guiar a los hijos en su propia búsqueda de una respuesta. Los hijos también sirven finalidades proyectivas cuando surge el problema de disolver un matrimonio desgraciado. El argumento común de los padres en tal situación es que no pueden separarse para no privar a los hijos de las ventajas de un hogar unido. Cualquier estudio detallado demostraría, empero, que la atmósfera de tensión e infelicidad dentro de la «familia unida» es más nociva para los niños que una ruptura franca, que les enseña, por lo menos, que el hombre es capaz de poner fin a una situación intolerable por medio de una decisión valiente.

Debemos mencionar aquí otro error muy frecuente: la ilusión de que el amor significa necesariamente la ausencia de conflicto. Así como la gente cree que el dolor y la tristeza deben evitarse en todas las circunstancias, supone también que el amor significa la ausencia de todo conflicto. Y encuentran buenos argumentos en favor de esa idea en el hecho de que las disputas que observan a diario no son otra cosa que intercambios destructivos que no producen bien alguno a ninguno de los interesados. Pero el motivo de ello está en el hecho de que los «conflictos» de la mayoría de la gente constituyen, en realidad, intentos de evitar los *verdaderos* conflictos *reales*. Son desacuerdos sobre asuntos secundarios o superficiales que, por su misma índole, no contribuyen a aclarar ni a solucionar nada. Los conflictos reales entre dos personas, los que no sirven para ocultar o proyectar, sino que se experimentan en un nivel profundo de la realidad interior a la que pertenecen, no son destructivos. Contribuyen a aclarar, producen una catarsis de la que ambas personas emergen con más conocimiento y mayor fuerza. Y eso nos lleva a destacar algo que ya dijimos antes.

El amor sólo es posible cuando dos personas se comunican entre sí desde el centro de sus existencias, por lo tanto, cuando cada una de ellas se experimenta a sí misma desde el centro de su existencia. Sólo en esa «experiencia central» está la realidad humana, sólo allí hay vida, sólo allí está la base del amor. Experimentado en esa forma, el amor es un desafío constante; no un lugar de reposo, sino un moverse, crecer, trabajar juntos; que haya armonía o conflicto, alegría o tristeza, es secundario con respecto al hecho fundamental de que dos seres se experimentan desde la esencia de su existencia, de que son el uno con el otro al ser uno consigo mismo y no al huir de sí mismos. Sólo hay una prueba de la presencia de amor: la hondura de la relación y la vitalidad y la fuerza de cada una de las personas implicadas; es por tales frutos por los que se reconoce al amor.

Así como los autómatas no pueden amarse entre sí tampoco pueden amar a Dios. La *desintegración del amor a Dios* ha alcanzado las mismas proporciones que la desintegración del amor al hombre. Ese hecho hállase en evidente contradicción con la idea de que estamos en presencia de un renacimiento religioso en nuestra época. Nada podría estar más lejos de la verdad. Lo que presenciamos (si bien hay excepciones) es una regresión a un concepto idolátrico de Dios, y una transformación del amor a Dios en una relación correspondiente a una estructura caracterológica enajenada. Es fácil comprobar tal regresión. La gente está angustiada, carece de principios o fe, no la mueve otra finalidad que la de seguir adelante; por lo tanto, siguen siendo criaturas, confiando en que el padre o la madre acuda a ayudarlos cuando lo necesiten.

Es verdad que en diversas culturas religiosas, como la de la Edad Media, el hombre corriente también consideraba a Dios un padre y una madre protectores. Pero al mismo tiempo también tomaba a Dios en serio, en el sentido de que la meta fundamental de su vida era vivir según los principios de Dios, hacer de la «salvación» su preocupación suprema, a la cual subordinaba todas las demás actividades. Nada queda de ese esfuerzo hoy en día. La vida diaria está estrictamente separada de cualquier valor religioso. Se dedica a obtener comodidades materiales y éxito en el mercado de la personalidad. Los principios en que se basan nuestros esfuerzos seculares son los de indiferencia y egoísmo (el segundo rotulado generalmente «individualismo» o «iniciativa individual»). El hombre de culturas verdaderamente religiosas puede compararse a un niño de ocho años, que necesita la ayuda de su padre, pero que comienza a adoptar en su vida sus enseñanzas y principios. El

hombre contemporáneo es más bien como un niño de tres
años, que llora llamando a su padre cuando lo necesita, o bien,
se muestra completamente autosuficiente cuando puede jugar.

En ese sentido, en la dependencia infantil de una imagen
antropomórfica de Dios sin la transformación de la vida de
acuerdo con los principios de Dios, estamos más cerca de una
tribu idólatra primitiva que de la cultura religiosa de la Edad
Media. En otro sentido, nuestra situación religiosa muestra
rasgos nuevos, característicos únicamente de la sociedad occidental capitalista contemporánea. Puedo remitirme a afirmaciones hechas antes. El hombre moderno se ha transformado
en un artículo; experimenta su energía vital como una inversión de la que debe obtener el máximo beneficio, teniendo en
cuenta su posición y la situación del mercado de la personalidad. Está enajenado de sí mismo, de sus semejantes y de la naturaleza. Su finalidad principal es el intercambio ventajoso de
sus aptitudes, su conocimiento y de sí mismo, de su «bagaje de
personalidad» con otros individuos igualmente ansiosos de lograr un intercambio conveniente y equitativo. La vida carece
de finalidad, salvo la de seguir adelante, de principios, excepto
el del intercambio equitativo, de satisfacción, excepto la de
consumir.

¿Qué puede significar el concepto de Dios en tales circunstancias? Ha perdido su significado religioso original y se ha
adaptado a la cultura enajenada del éxito. En el renacimiento
religioso de los últimos tiempos, la creencia en Dios se ha convertido en un recurso psicológico cuya finalidad es el hacer al
individuo más apto para la pugna competitiva.

La religión se alía con la autosugestión y la psicoterapia
para ayudar al hombre en sus actividades comerciales. Después de la Primera Guerra Mundial aún no se había recurrido
a Dios con el propósito de «mejorar la propia personalidad». El
libro que más se vendió en 1938, *Cómo ganar amigos e influir
sobre la gente,* de Dale Carnegie, se mantuvo en un nivel estrictamente secular. La función que cumplió entonces dicho li-

bro de Dale Carnegie, es la que hoy realiza el *best-seller* actual, *El poder del pensamiento positivo,* del Reverendo N. V. Peale. En este libro religioso ni siquiera se cuestiona que nuestra preocupación predominante por el éxito esté de acuerdo con el espíritu de la religión monoteísta. Por el contrario, jamás se pone en duda tal finalidad suprema, sino que se recomiendan la creencia en Dios y las plegarias como un medio de aumentar la propia habilidad para alcanzar el éxito. Así como los psiquiatras modernos recomiendan la felicidad del empleado, para ganar la simpatía de los compradores, del mismo modo algunos sacerdotes aconsejan amar a Dios para tener más éxito. «Haz de Dios tu socio» significa hacer de Dios un socio en los negocios, antes que hacerse uno con El en el amor, la justicia y la verdad. De modo similar a cómo se ha reemplazado el amor fraternal por la equidad impersonal, se ha transformado a Dios en un remoto *Director General del Universo y Cía.;* sabemos que está allí, que dirige la función (aunque ésta probablemente seguiría adelante sin él), nunca lo vemos, pero aceptamos su dirección mientras «desempeñamos nuestro papel».

IV

LA PRÁCTICA DEL AMOR

Habiendo examinado ya el aspecto teórico del arte de amar, nos enfrentamos ahora con un problema mucho más difícil, el de la *práctica del arte de amar*. ¿Puede aprenderse algo acerca de la práctica de un arte, excepto practicándolo?

La dificultad del problema se ve aumentada por el hecho de que la mayoría de la gente de hoy en día, y, por lo tanto, muchos de los lectores de este libro, esperan recibir recetas del tipo «cómo debe usted hacerlo», y eso significa, en nuestro caso, que se les enseñe a amar. Mucho me temo que quien comience este último capítulo con tales esperanzas resultará sumamente decepcionado. Amar es una experiencia personal que sólo podemos tener por y para nosotros mismos; en realidad, prácticamente no existe nadie que no haya tenido esa experiencia, por lo menos en una forma rudimentaria, cuando niño, adolescente o adulto. Lo que un examen de la práctica del amor puede hacer es considerar las premisas del arte de amar, los enfoques, por así decirlo, de la cuestión, y la práctica de esas premisas y esos enfoques. Los pasos hacia la meta sólo puede darlos uno mismo, y el examen concluye antes de que se dé el paso decisivo. Sin embargo, creo que el examen de los enfoques puede resultar útil para el dominio del arte —por lo menos para quienes han dejado de esperar «recetas»—.

La práctica de cualquier arte tiene ciertos requisitos generales, independientes por completo de que el arte en cuestión sea la carpintería, la medicina o el arte de amar. En primer lugar, la práctica de un arte requiere *disciplina*. Nunca haré nada bien si no lo hago de una manera disciplinada; cualquier cosa que haga sólo porque estoy en el «estado de ánimo apropiado», puede constituir un «hobby» agradable o entretenido, mas nunca llegaré a ser un maestro en ese arte. Pero el problema no consiste únicamente en la disciplina relativa a la práctica de un arte particular (digamos practicar todos los días durante cierto número de horas), sino en la disciplina en toda la vida. Podía pensarse que para el hombre moderno nada es más fácil de aprender que la disciplina. ¿Acaso no pasa ocho horas diarias de manera sumamente disciplinada en un trabajo donde impera una estricta rutina? Lo cierto, en cambio, es que el hombre moderno es excesivamente indisciplinado fuera de la esfera del trabajo. Cuando no trabaja, quiere estar ocioso, haraganear, o, para usar una palabra más agradable, «relajarse». Ese deseo de ociosidad constituye, en gran parte, una reacción contra la rutinización de la vida. Precisamente porque el hombre está obligado durante ocho horas diarias a gastar su energía con fines ajenos, en formas que no le son propias, sino prescritas por el ritmo del trabajo, se rebela, y su rebeldía toma la forma de una complacencia infantil para consigo mismo. Además, en la batalla contra el autoritarismo, ha llegado a desconfiar de toda disciplina, tanto de la impuesta por la autoridad irracional como de la disciplina racional autoimpuesta. Sin esa disciplina, empero, la vida se torna caótica y carece de concentración.

El que la *concentración* es condición indispensable para el dominio de un arte no necesita demostración. Harto bien lo sabe todo aquel que alguna vez haya intentado aprender un arte. No obstante, en nuestra cultura, la concentración es aún más rara que la autodisciplina. Por el contrario, nuestra cultura lleva a una forma de vida difusa y desconcentrada, que casi no registra paralelos. Se hacen muchas cosas a la vez: se lee, se escucha la radio, se habla, se fuma, se come, se bebe. Somos consumidores con la boca siempre abierta, ansiosos y dispuestos a tragarlo todo: películas, bebidas, conocimiento. Esa falta de concentración se manifiesta claramente en nuestra dificultad para estar a solas con nosotros mismos. Quedarse sentado, sin hablar, fumar, leer o beber, es imposible para la mayoría de la gente. Se ponen nerviosos e inquietos y deben hacer algo con la boca o con las manos. (Fumar es uno de los síntomas de la falta de concentración: ocupa la mano, la boca, los ojos y la nariz.)

Un tercer factor es la *paciencia*. Repetimos que quien haya tratado alguna vez de dominar un arte sabe que la paciencia es necesaria para lograr cualquier cosa. Si aspiramos a obtener resultados rápidos, nunca aprendemos un arte. Para el hombre moderno, sin embargo, es tan difícil practicar la paciencia como la disciplina y la concentración. Todo nuestro sistema industrial alienta precisamente lo contrario: la rapidez. Todas nuestras máquinas están diseñadas para lograr rapidez: el coche y el aeroplano nos llevan rápidamente a destino —y cuanto más rápido mejor—. La máquina que puede producir la misma cantidad en la mitad del tiempo es muy superior a la más antigua y lenta. Naturalmente, hay para ello importantes razones económicas. Pero, al igual que en tantos otros aspectos, los valores humanos están determinados por los valores económicos. Lo que es bueno para las máquinas debe serlo para el hombre —así dice la lógica—. El hombre moderno piensa que pierde algo —tiempo— cuando no actúa con rapidez; sin embargo, no sabe qué hacer con el tiempo que gana —salvo matarlo—.

Eventualmente, otra condición para aprender cualquier arte es una *preocupación* suprema por el dominio del arte. Si el arte no es algo de suprema importancia, el aprendiz jamás lo dominará. Seguirá siendo, en el mejor de los casos, un buen aficionado, pero nunca un maestro. Esta condición es tan necesaria para el arte de amar como para cualquier otro. Parece, sin embargo, que la proporción de aficionados en el arte de amar es notablemente mayor que en las otras artes.

Un último punto debe señalarse con respecto a las condi-

ciones generales para aprender un arte. No se empieza por
aprender el arte directamente, sino en forma indirecta, por así
decirlo. Debe aprenderse un gran número de otras cosas que
suelen no tener aparentemente ninguna relación con él, antes
de comenzar con el arte mismo. Un aprendiz de carpintería comienza aprendiendo a cepillar la madera; un aprendiz del arte
de tocar el piano comienza por practicar escalas; un aprendiz
del arte Zen de la ballestería empieza haciendo ejercicios respi-
ratorios[1]. Si se aspira a ser un maestro en cualquier arte, toda
la vida debe estar dedicada a él o, por lo menos, relacionada
con él. La propia persona se convierte en instrumento en la
práctica del arte, y debe mantenerse en buenas condiciones, según las funciones específicas que deba realizar. En lo que respecta al arte de amar, ello significa que quien aspire a convertirse en un maestro debe comenzar por *practicar* la disciplina,
la concentración y la paciencia a través de todas las fases de su
vida.

    ¿Cómo se practica la disciplina? Nuestros abuelos estarían
en mejores condiciones para contestar esa pregunta. Recomen-
daban levantarse temprano, no entregarse a lujos innecesarios
y trabajar mucho. Este tipo de disciplina tenía evidentes defectos. Era rígida y autoritaria, centrada alrededor de las virtudes
de la frugalidad y el ahorro, y, de muchos modos, hostil a la
vida. Pero, en la reacción a tal tipo de disciplina, hubo una creciente tendencia a sospechar de *cualquier* disciplina, y a hacer
de la indisciplina y la perezosa complacencia en el resto de la
propia existencia la contraparte que equilibraba la forma ruti-
nizada de vida impuesta durante ocho horas de trabajo. Levantarse a una hora regular, dedicar un tiempo regular durante el
día a actividades tales como meditar, leer, escuchar música,
caminar; no permitirnos, por lo menos dentro de ciertos lími-

---

[1] Para un cuadro de la concentración, la disciplina, la paciencia y la preocupación necesarias para el aprendizaje de un arte, recomiendo al lector *Zen
the Art of Archery*, de E. Herrigel, Nueva York, Pantheon Books, Inc., 1953.

tes, actividades escapistas, como novelas policiales y películas, no comer ni beber demasiado, son normas evidentes y rudimentarias. Sin embargo, es esencial que la disciplina no se practique como una regla impuesta desde afuera, sino que se convierta en una expresión de la propia voluntad; que se sienta como algo agradable, y que uno se acostumbre lentamente a un tipo de conducta que puede llegar a extrañar si deja de practicarla. Uno de los aspectos lamentables de nuestro concepto occidental de la disciplina (como de toda virtud) es que se supone que su práctica debe ser algo penosa y sólo si es penosa es «buena». El Oriente ha reconocido hace mucho que lo que es bueno para el hombre —para su cuerpo y para su alma— también debe ser agradable, aunque al comienzo haya que superar algunas resistencias.

La concentración es, con mucho, más difícil de practicar en nuestra cultura, en la que todo parece estar en contra de la capacidad de concentrarse. El paso más importante para llegar a concentrarse es aprender a estar solo con uno mismo sin leer, escuchar la radio, fumar o beber. Sin duda, ser capaz de concentrarse significa poder estar solo con uno mismo —y esa habilidad es precisamente una condición para la capacidad de amar—. Si estoy ligado a otra persona porque no puedo pararme sobre mis propios pies, ella puede ser algo así como un salvavidas, pero no hay amor en tal relación. Paradójicamente, la capacidad de estar solo es la condición indispensable para la capacidad de amar. Quien trate de estar solo consigo mismo descubrirá cuán difícil es. Comenzará a sentirse molesto, inquieto, e incluso considerablemente angustiado. Se inclinará a racionalizar su deseo de no seguir adelante con esa práctica, pensando que no tiene ningún valor, que es tonta, que lleva demasiado tiempo, y así en adelante. Observará asimismo que llegan a su mente toda clase de pensamientos que lo dominan. Se encontrará pensando acerca de sus planes para el resto del día, o sobre alguna dificultad en el trabajo que debe realizar, o sobre lo que hará esa noche, o sobre cualquier cosa que le

ocupe la mente, antes que permitir que ésta se vacíe. Sería útil
practicar unos pocos ejercicios simples, como, por ejemplo,
sentarse en una posición relajada (ni totalmente flojo ni rígido),
cerrar los ojos y tratar de ver una pantalla blanca frente a los
ojos, tratando de alejar todas las imágenes y los pensamientos
que interfieran; luego intentar seguir la propia respiración; no
pensar en ella, ni forzarla, sino seguirla —y, al hacerlo, percibirla—; tratar además de lograr una sensación de «yo»; yo =
«mí mismo», como centro de mis poderes, como creador de mi
mundo. Habría que realizar tal ejercicio de concentración por
lo menos todas las mañanas durante veinte minutos (y, si es
posible, más tiempo) y todas las noches antes de acostarse[2].

Además de esos ejercicios, hay que aprender a concentrarse en todo lo que uno hace, sea escuchar música, leer un libro, hablar con una persona, contemplar un paisaje. En ese
momento, la actividad debe ser lo único que cuenta, aquello a
lo que uno se entrega por completo. Si uno está concentrado,
poco importa *qué* está haciendo; las cosas importantes, tanto
como las insignificantes, toman una nueva dimensión de la realidad, porque están llenas de la propia atención. Aprender a
concentrarse requiere evitar, en la medida de lo posible, las
conversaciones triviales, esto es, la conversación que no es genuina. Si dos personas hablan acerca del crecimiento de un árbol que ambas conocen, del gusto del pan que acaban de comer juntas, o de una experiencia común en el trabajo, tal conversación puede ser pertinente, siempre y cuando experimenten
lo que hablan y no se refieran a ese tema de una manera abstracta; por otro lado, una conversación puede referirse a cuestiones religiosas o políticas y ser, no obstante, trivial; ello ocu-

[2] Si bien existe abundante cantidad de teoría y práctica sobre ese tema en
las culturas orientales, especialmente en la India, también se han hecho en los
últimos años intentos similares en Occidente. El más importante, en mi opinión, es la escuela de Gindler, cuyo fin es la percepción del propio cuerpo.
Para la comprensión del método de Gindler, véase el trabajo de Charlotte
Selver, en sus cursos y conferencias en la New School de Nueva York.

rre cuando las dos personas hablan en clisés, cuando no sienten lo que dicen. Debo agregar aquí que, así como importa evitar la conversación trivial, importa también evitar las malas compañías. Por malas compañías no entiendo sólo la gente viciosa y destructiva, cuya órbita es venenosa y deprimente. Me refiero también a la compañía de zombies, de seres cuya alma está muerta, aunque su cuerpo siga vivo; a individuos cuyos pensamientos y conversación son triviales; que parlotean en lugar de hablar, y que afirman opiniones que son clisés en lugar de pensar. Pero no siempre es posible evitar tales compañías, ni tampoco es necesario. Si uno no reacciona en la forma esperada —es decir, con clisés y trivialidades— sino directa y humanamente, descubrirá con frecuencia que esa gente modifica su conducta, muchas veces con la ayuda de la sorpresa producida por el choque de lo inesperado.

Concentrarse en la relación con otros significa fundamentalmente poder escuchar. La mayoría de la gente oye a los demás, y aun da consejos, sin escuchar realmente. No toman en serio las palabras de la otra persona, y tampoco les importan demasiado sus propias respuestas. Resultado de ello: la conversación los cansa. Encuéntranse bajo la ilusión de que se sentirían aún más cansados si escucharan con concentración. Pero lo cierto es lo contrario. Cualquier actividad, realizada en forma concentrada, tiene un efecto estimulante (aunque luego aparezca un cansancio natural y benéfico); cualquier actividad no concentrada, en cambio, causa somnolencia, y al mismo tiempo hace difícil conciliar el sueño al final del día.

Estar concentrado significa vivir plenamente en el presente, en el aquí y el ahora, y no pensar en la tarea siguiente mientras estoy realizando otra. Es innecesario decir que la concentración debe ser sobre todo practicada por personas que se aman mutuamente. Deben aprender a estar el uno cerca del otro, sin escapar de las múltiples formas acostumbradas. El comienzo de la práctica de la concentración es difícil; se tiene la impresión de que jamás se logrará la finalidad buscada. Ello implica, evidentemente, la necesidad de tener paciencia. Si uno no sabe que todo tiene su momento, y quiere forzar las cosas, entonces es indudable que nunca logrará concentrarse —tampoco en el arte de amar—. Para tener una idea de lo que es la paciencia, basta con observar a un niño que aprende a caminar. Se cae, vuelve a caer, una y otra vez, y sin embargo sigue ensayando, mejorando, hasta que un día camina sin caerse. ¡Qué no podría lograr la persona adulta si tuviera la paciencia del niño y su concentración en los fines que son importantes para él!

Es imposible aprender a concentrarse sin hacerse *sensible a uno mismo*. ¿Qué significa eso? ¿Que hay que pensar continuamente en uno mismo, «analizarse», o qué? Si habláramos de ser sensible a una máquina, no habría dificultad para explicar lo que eso significa. Cualquiera que, por ejemplo, maneja un auto, es sensible a él. Advierte hasta un pequeño ruido inusual, o un insignificante cambio de la aceleración del motor. De la misma forma, el conductor es sensible a las irregularidades en la superficie del camino, a los movimientos de los coches que van detrás y delante de él. Sin embargo, no piensa en todos esos factores; su mente se encuentra en estado de serenidad vigilante, abierta a todos los cambios relacionados con la situación en la que está concentrado: manejar el coche sin peligro.

Si consideramos la situación de ser sensible a otro ser humano, encontramos el ejemplo más obvio en la sensibilidad y correspondencia de una madre para con su hijo. Ella nota ciertos cambios corporales, exigencias y angustias, antes de que el niño los manifieste abiertamente. Se despierta porque su hijo llora, si bien otro sonido más fuerte no hubiera interrumpido su sueño. Todo eso significa que es sensible a las manifestaciones de la vida del niño; no está ansiosa ni preocupada, sino en un estado de equilibrio alerta, receptivo de cualquier comunicación significativa proveniente del niño. Similarmente, cabe ser sensible con respecto a uno mismo. Tener conciencia, por ejemplo, de una sensación de cansancio o depresión, y en lugar de entregarse a ella y aumentarla por medio de pensamientos deprimentes que siempre están a mano, preguntarse «¿qué ocurre?» «¿Por qué estoy deprimido?» Lo mismo sucede al observar que uno está irritado o enojado, o con tendencia a los ensueños u otras actividades escapistas. En cada uno de esos casos, lo que importa es tener conciencia de ellos y no racionalizarlos en las mil formas en que es factible hacerlo; además estar atentos a nuestra voz interior, que nos dice —por lo general inmediatamente— por qué estamos angustiados, deprimidos, irritados.

La persona media es sensible a sus procesos corporales; advierte los cambios y los más insignificantes dolores; ese tipo de sensibilidad corporal es relativamente fácil de experimentar, porque la mayoría de las personas tienen una imagen de lo que es sentirse bien. Una sensibilidad semejante para con los procesos mentales es más difícil, porque muchísima gente no ha conocido nunca a alguien que funcione óptimamente. Toman el funcionamiento psíquico de sus padres y parientes, o del grupo social en el que han nacido, como norma, y, mientras no difieren de ésta, se sienten normales y no tienen interés en observar nada. Hay mucha gente, por ejemplo, que jamás ha conocido a una persona amante, o a una persona con integridad, valor o concentración. Es notorio que, para ser sensible con respecto a uno mismo, hay que tener una imagen del funcionamiento humano completo y sano. Pero, ¿cómo es posible adquirir experiencia si no se la ha tenido en la propia infancia o en la vida adulta? Por cierto que no existe ninguna respuesta sencilla a tal pregunta; pero ésta señala un factor muy crítico de nuestro sistema educativo.

Si bien impartimos conocimiento, estamos descuidando la enseñanza más importante para el desarrollo humano: la que sólo puede impartirse por la simple presencia de una persona madura y amante. En épocas anteriores de nuestra cultura, o en la China y la India, el hombre más valorado era el que poseía cualidades espirituales sobresalientes. Ni siquiera el maestro era única, o primariamente, una fuente de información, sino que su función consistía en transmitir ciertas actitudes humanas. En la sociedad capitalista contemporánea —así como en el comunismo ruso— los hombres propuestos para la admiración y la emulación son cualquier cosa menos arquetipos de cualidades espirituales significativas. Los que el público admira esencialmente son los que dan al hombre corriente una sensación de satisfacción substitutiva. Estrellas cinematográficas, animadores radiales, periodistas, importantes figuras del comercio o el gobierno, tales son los modelos de emulación. A menudo su principal calificación para esa función es que han logrado aparecer en letras de molde. Sin embargo, la situación no parece totalmente irremediable. Si se contempla el hecho de que un hombre como Albert Schweitzer se haya hecho famoso en los Estados Unidos, si se tienen en cuenta las múltiples posibilidades de familiarizar a nuestra juventud con personalidades históricas y contemporáneas que demuestran lo que los seres humanos pueden lograr como tales, y no como anfitriones (en el sentido más amplio de la palabra), si se piensa en las grandes obras de la literatura y el arte de todas las épocas, parece que existe la posibilidad de crear una visión de un buen funcionamiento humano, y por lo tanto una sensibilidad al mal funcionamiento. Si no lográramos mantener viva una visión de la vida madura, entonces indudablemente nos veríamos frente a la probabilidad de que nuestra tradición cultural se derrumbe. Esa tradición no se basa fundamentalmente en la transmisión de cierto tipo de conocimiento, sino en la de ciertas clases de rasgos humanos. Si la generación siguiente deja de ver esos rasgos, se derrumbará una cultura de cinco mil años, aunque su conocimiento se transmita y se siga desarrollando.

Hasta aquí me he referido a las condiciones para la práctica de *cualquier* arte. Examinaré ahora las cualidades de particular importancia para la capacidad de amar. De acuerdo con lo dicho sobre la naturaleza del amor, la condición fundamental para el logro del amor es la *superación* del propio *narci-sismo*. En la orientación narcisista se experimenta como real sólo lo que existe en nuestro interior, mientras que los fenómenos del mundo exterior carecen de realidad de por sí y se experimentan sólo desde el punto de vista de su utilidad o peligro para uno mismo. El polo opuesto del narcisismo es la objetividad; es la capacidad de ver a la gente y las cosas *tal como son,* objetivamente, y poder separar esa imagen *objetiva* de la imagen formada por los propios deseos y temores. En todas las formas de psicosis hay una incapacidad extrema para ser objetivo. Para el insano, la única realidad que existe es la que está dentro de él, la de sus temores y deseos. Ve el mundo exterior como símbolos de su mundo interior, como su creación. Y todos procedemos de idéntica manera cuando soñamos. En el sueño producimos hechos, ponemos dramas en escena, que constituyen la expresión de nuestros anhelos y temores (aunque algunas veces también de nuestras intuiciones y juicios), y, mientras dormimos, estamos convencidos de que el producto de nuestros sueños es tan real como la realidad que percibimos en el estado de vigilia.

El insano o el soñador carecen *completamente* de una visión objetiva del mundo exterior; pero todos nosotros somos más o menos insanos, o estamos más o menos dormidos; todos nosotros tenemos una visión no objetiva del mundo, que está deformada por nuestra orientación narcisista. ¿Es necesario dar ejemplos? Cualquiera puede encontrarlos fácilmente observándose a sí mismo, a sus vecinos y leyendo los diarios; varían únicamente en el grado de deformación narcisista de la realidad. Una mujer, por ejemplo, llama al médico, diciendo que quiere visitarlo en su consultorio esa tarde. El médico responde que no tiene tiempo ese día, pero que puede atenderla al día siguiente. La respuesta de la mujer es: «Pero, doctor, vivo sólo a cinco minutos de su consultorio.» No puede entender la explicación del médico de que a *él* no le ahorra tiempo que la distancia sea tan corta. Ella experimenta la situación narcisísticamente: puesto que *ella* ahorra tiempo, *él* ahorra tiempo; para ella, la única realidad es ella misma.

Menos extremas —tal vez menos evidentes— son las deformaciones tan comunes en las relaciones interpersonales. ¿Cuántos padres experimentan las reacciones del hijo en función de la obediencia, de que los complazca, les haga hacer un buen papel, y así siguiendo, en lugar de percibir o interesarse por lo que el niño siente para y por sí mismo? ¿Cuántos esposos ven a sus mujeres como dominadoras porque su propia relación con sus madres les hace interpretar cualquier demanda como una limitación de su libertad? ¿Cuántas esposas piensan que sus maridos son ineficaces o estúpidos porque no responden a la fantasía del espléndido caballero que construyeron en su infancia?

En lo que a las naciones extranjeras atañe, la falta de objetividad es más que notoria. De un día para el otro, una nación pasa a ser considerada totalmente depravada y perversa, al tiempo que la propia nación representa todo lo que es bueno y noble. Toda acción del enemigo se juzga según una norma, y toda acción propia según otra. Hasta las buenas obras realizadas por el enemigo se consideran signos de una perversidad particular con las que se propone engañar a nuestro país y al mundo, en tanto que nuestras malas acciones son necesarias y encuentran justificación en las nobles finalidades que sirven. Es indudable que si examinamos la relación entre las naciones, tanto como entre los individuos, llegamos a la conclusión de que la objetividad es la excepción, y lo corriente una deformación narcisista en mayor o menor grado.

La facultad de pensar objetivamente es la *razón*; la actitud emocional que corresponde a la razón es la humildad. Ser objetivo, utilizar la propia razón, sólo es posible si se ha alcanzado una actitud de humildad, si se ha emergido de los sueños de omnisciencia y omnipotencia de la infancia.

En los términos de este análisis de la práctica del arte de amar, ello significa: puesto que el amor depende de la ausencia relativa del narcisismo, requiere el desarrollo de humildad, objetividad y razón. Toda la vida debe estar dedicada a esa finalidad. La humildad y la objetividad son indivisibles, tal como lo es el amor. No puedo ser verdaderamente objetivo con respecto a mi familia si no puedo serlo con un extraño, y viceversa. Si quiero aprender el arte de amar, debo esforzarme por ser objetivo en todas las situaciones y hacerme sensible a la situación frente a la que no soy objetivo. Debo tratar de ver la diferencia entre *mi* imagen de una persona y de su conducta, tal como resulta de la deformación narcisista, y la realidad de esa persona tal como existe independientemente de mis intereses, necesidades y temores. La adquisición de la capacidad de ser objetivo y de la razón, representa la mitad del camino hacia el dominio del arte de amar, pero debe abarcar a todos los que están en contacto conmigo. Si alguien quisiera reservar su objetividad para la persona amada, y cree que no necesita de ella en su relación con el resto del mundo, pronto descubrirá que fracasa en ambos sentidos.

La capacidad de amar depende de la propia capacidad para superar el narcisismo y la fijación incestuosa a la madre y al clan; depende de nuestra capacidad de crecer, de desarrollar una orientación productiva en nuestra relación con el mundo y con nosotros mismos. Tal proceso de emergencia, de nacimiento, de despertar, necesita de una cualidad como condición necesaria: *fe*. La práctica del arte de amar requiere la práctica de la fe.

¿Qué es la fe? ¿Es la fe necesariamente una cuestión de creencia en Dios, o en doctrinas religiosas? ¿Está inevitablemente en contraste u oposición con la razón y el pensamiento racional? Aun para empezar a comprender el problema de la fe es necesario diferenciar la *fe racional* de la *irracional*. Al hablar de fe irracional me refiero a la creencia (en una persona o una idea) que se basa en la sumisión a una autoridad irracional. Por el contrario, la fe racional es una convicción arraigada en la propia experiencia mental o afectiva. La fe racional no es primariamente una creencia en algo, sino la cualidad de certeza y firmeza que poseen nuestras convicciones. La fe es un rasgo caracterológico que penetra toda la personalidad, y no una creencia específica.

La fe racional arraiga en la actividad productiva intelectual y emocional. Constituye un importante componente del pensar racional, en el que se supone que la fe no tiene lugar. ¿Cómo llega un científico, por ejemplo, a un nuevo descubrimiento? ¿Comienza haciendo experimento tras experimento, reuniendo los hechos uno después del otro, sin una visión de lo que espera encontrar? Es excepcional que un descubrimiento realmente importante se haya hecho de esa manera en cualquier terreno. Ni tampoco ocurre que la gente arribe a conclusiones significativas cuando se limita a perseguir una fantasía. El proceso del pensamiento creador en cualquier campo del esfuerzo humano suele comenzar con lo que podríamos llamar una «visión racional», que constituye a su vez el resultado de considerables estudios previos, pensamiento reflexivo y observación. Cuando un científico logra reunir suficientes datos, o elaborar una fórmula matemática que hace altamente plausible su visión original, puede decirse que ha llegado a una hipótesis de ensayo. Un cuidadoso análisis de la hipótesis, con el fin de discernir sus consecuencias, y la recopilación de datos que la apoyan, llevan a una hipótesis más adecuada y, quizás, eventualmente, a su inclusión en una teoría de amplio alcance.

La historia de la ciencia está llena de ejemplos de fe en la razón y en las visiones de la verdad. Copérnico, Kepler, Galileo y Newton estaban imbuidos de una inconmovible fe en la razón. Por ella Bruno murió quemado en la hoguera y Spinoza sufrió la excomunión. A cada paso, desde la concepción de una visión racional hasta la formulación de una teoría, es necesaria la *fe;* fe en la visión de una finalidad racionalmente válida que alcanzar, fe en la hipótesis como una proposición probable y plausible, y fe en la teoría final, al menos hasta que se llegue a un consenso general acerca de su validez. Esa fe está arrai-

gada en la propia experiencia, en la confianza en el propio poder de pensamiento, observación y juicio. Al tiempo que la fe
irracional es la aceptación de algo como verdadero sólo *porque*
así lo afirma una autoridad o la mayoría, la fe racional tiene
sus raíces en una convicción independiente basada en el propio
pensamiento y observación productivos, *a pesar de* la opinión
de la mayoría.

El pensamiento y el juicio no constituyen el único dominio
de la experiencia en el que se manifiesta la fe racional. En la esfera de las relaciones humanas, la fe es una cualidad indispensable de cualquier amistad o amor significativos. «Tener fe» en
otra persona significa estar seguro de la confianza e inmutabili-
dad de sus actitudes fundamentales, de la esencia de su personalidad, de su amor. No me refiero aquí a que una persona no
pueda modificar sus opiniones, sino a que sus motivaciones
básicas son siempre las mismas; que, por ejemplo, su respeto
por la vida y la dignidad humanas sea parte de ella, no algo
tornadizo.

En igual sentido, tenemos fe en nosotros mismos. Tenemos
conciencia de la existencia de un yo, de un núcleo de nuestra
personalidad que es inmutable y que persiste a través de nuestra vida, no obstante las circunstancias cambiantes y con independencia de ciertas modificaciones de nuestros sentimientos y
opiniones. Ese núcleo constituye la realidad que sustenta a la
palabra «yo», la realidad en la que se basa nuestra convicción
de nuestra propia identidad. A menos que tengamos fe en la
persistencia de nuestro yo, nuestro sentimiento de identidad se
verá amenazado y nos haremos dependientes de otra gente,
cuya aprobación se convierte entonces en la base de nuestro
sentimiento de identidad. Sólo la persona que tiene fe en sí
misma puede ser fiel a los demás, pues sólo ella puede estar segura de que será en el futuro igual a lo que es hoy y, por lo
tanto, de que sentirá y actuará como ahora espera hacerlo. La
fe en uno mismo es una condición de nuestra capacidad de
prometer, y puesto que, como dice Nietzsche, el hombre puede

definirse por su capacidad de prometer, la fe es una de las condiciones de la existencia humana. Lo que importa en relación con el amor es la fe en el propio amor; en su capacidad de producir amor en los demás, y en su confianza.

Otro aspecto de la fe en otra persona refiérese a la fe que tenemos en las potencialidades de los otros. La forma más rudimentaria en que se manifiesta es la fe que tiene la madre en su hijo recién nacido: en que vivirá, crecerá, caminará y hablará. Sin embargo, el desarrollo del niño en ese sentido se produce con tal regularidad que parecería que no es necesaria la fe para estar seguro de él. Algo distinto ocurre con las potencialidades que pueden no desarrollarse: las de amar, ser feliz, utilizar la razón, y otras más específicas, el talento artístico, por ejemplo. Son las semillas que crecen y se manifiestan si se dan las condiciones apropiadas para su desarrollo, y que pueden ahogarse cuando éstas faltan.

De tales condiciones, una de las más importantes es que la persona de mayor influencia en la vida del niño tenga fe en esas potencialidades. La presencia de dicha fe es lo que determina la diferencia entre educación y manipulación. Educación significa ayudar al niño a realizar sus potencialidades[3]. Lo contrario de la educación es la manipulación, que se basa en la ausencia de fe, en el desarrollo de las potencialidades y en la convicción de que un niño será como corresponde sólo si los adultos le inculcan lo que es deseable y suprimen lo que parece indeseable. No hay necesidad de tener fe en el robot, puesto que tampoco hay vida en él.

La fe en los demás culmina en la fe en la *humanidad*. En el mundo occidental, esa fe se expresa en términos religiosos en la religión judeo-cristiana, y en lenguaje secular tiene su expresión más poderosa en las ideas políticas y sociales humanísticas de los últimos ciento cincuenta años. Al igual que la fe en el

---

[3] La raíz de la palabra educación es *e-ducere,* literalmente, conducir desde, o extraer algo que existía potencialmente.

niño, se basa en la idea de que las potencialidades del hombre
son tales que, dadas las condiciones apropiadas, podrá construir un orden social gobernado por los principios de igualdad,
justicia y amor. El hombre no ha logrado aún construir ese orden, y, por lo tanto, la convicción de que puede hacerlo necesita fe. Pero como toda fe racional, tampoco ésa es una mera
expresión de deseos, sino que se basa en la evidencia de los logros del pasado de la raza humana y en la experiencia interior
de cada individuo en su propia experiencia de la razón y el
amor.

Mientras que la fe irracional arraiga en la sumisión a un
poder que se considera avasalladoramente poderoso, omnisapiente y omnipotente, y en la abdicación del poder y la fuerza
propios, la fe racional se basa en la experiencia opuesta. Tenemos fe en una idea porque es el resultado de nuestras propias
observaciones y nuestro pensamiento. Tenemos fe en las potencialidades de los demás, en las nuestras y en las de la humanidad, porque, y sólo en esa medida, hemos experimentado el
desarrollo de nuestras propias potencialidades, la realidad del
crecimiento en nosotros mismos, la fuerza de nuestro propio
poder y del amor. *La base de la fe racional es la productividad;* vivir de acuerdo con nuestra fe, significa vivir productivamente. Se deduce de ello que la creencia en el poder (en el sentido de dominación) y en el uso del poder constituye el reverso
de la fe. Creer en el poder que existe es lo mismo que creer en
el desarrollo de las potencialidades aún no realizadas. Es una
predicción del futuro basada únicamente en el presente manifiesto; pero resulta ser un grave error de cálculo, profundamente irracional en su descuido de las potencialidades y el crecimiento humanos. No hay una fe racional en el poder. Hay
una sumisión a él o, por parte de quienes lo tienen, el deseo de
conservarlo. Si bien para muchos el poder es la más real de todas las cosas, la historia del hombre ha demostrado que es el
más inestable de todos los logros humanos. Debido a que la fe
y el poder se excluyen mutuamente, todos los sistemas religio-

sos y políticos que se construyeron originariamente sobre una
fe racional, se corrompieron y, eventualmente, pierden la
fuerza que pueda quedarles, si sólo confían en el poder o se
alían a él.

Tener fe requiere coraje, la capacidad de correr un riesgo,
la disposición a aceptar incluso el dolor y la desilusión. Quien
insiste en la seguridad y la tranquilidad como condiciones pri-
marias de la vida no puede tener fe; quien se encierra en un sistema de defensa, donde la distancia y la posesión constituyen
los medios que dan seguridad, se convierte en un prisionero.
Ser amado, y amar, requiere coraje, la valentía de atribuir a
ciertos valores fundamental importancia —y de dar el salto y
apostar todo a esos valores—.

Ese coraje es muy distinto de la valentía a la que se refirió
el famoso fanfarrón Mussolini cuando utilizó el lema «vivir pe-
ligrosamente». Su tipo de coraje es el coraje del nihilismo. Está
arraigado en una actitud destructiva hacia la vida, en la voluntad de arriesgar la vida porque uno es incapaz de amarla.
El coraje de la desesperación es lo contrario del coraje del
amor, tal como la fe en el poder es lo opuesto de la fe en la
vida.

¿Hay algo que deba practicarse en relación con la fe y el
valor? Indudablemente, la fe puede practicarse a cada momento. Requiere fe criar a un niño; se necesita fe para dor-
mirse, para comenzar cualquier tarea. Pero todos estamos
acostumbrados a tener ese tipo de fe. Quien no la posee, sufre
enorme angustia por su hijo, por su insomnio, o por su incapacidad para realizar cualquier trabajo productivo; o es suspicaz,
se abstiene de acercarse a nadie, o es hipocondríaco o incapaz
de hacer planes a largo plazo. Mantener la propia opinión sobre una persona, aunque la opinión pública o algunos hechos
imprevistos parezcan invalidarla, mantener las propias convicciones aunque éstas no sean populares: todo eso requiere fe y
coraje. Tomar las dificultades, los reveses y penas de la vida
como un desafío cuya superación nos hace más fuertes, y no

como un injusto castigo que no tendríamos que recibir *nosotros*, requiere fe y coraje.

La práctica de la fe y el valor comienza con los pequeños detalles de la vida diaria. El primer paso consiste en observar cuándo y dónde se pierde la fe, analizar las racionalizaciones que se usan para soslayar esa pérdida de fe, reconocer cuándo se actúa cobardemente y cómo se lo racionaliza. Reconocer cómo cada traición a la fe nos debilita, y cómo la mayor debilidad nos lleva a una nueva traición, y así en adelante, en un círculo vicioso. Entonces reconoceremos también que *mientras tememos conscientemente no ser amados, el temor real, aunque habitualmente inconsciente, es el de amar*. Amar significa comprometerse sin garantías, entregarse totalmente con la esperanza de producir amor en la persona amada. El amor es un acto de fe, y quien tenga poca fe también tiene poco amor. ¿Es posible decir algo más acerca de la práctica de la fe? Quizás otro podría hacerlo; si yo fuera poeta o predicador, podría intentarlo. Pero puesto que no soy ni lo uno ni lo otro, no puedo ni siquiera intentar decir algo más sobre la práctica de la fe, pero estoy seguro de que cualquiera realmente interesado puede aprender a tener fe como un niño aprende a caminar.

Una actitud, indispensable para la práctica del arte de amar, que hasta ahora sólo hemos mencionado de modo implícito, debe examinarse explícitamente ahora, pues es fundamental: la *actividad*. He dicho antes que actividad no significa «hacer algo», sino una actividad interior, el uso productivo de los propios poderes. El amor es una actividad; si amo, estoy en un constante estado de preocupación activa por la persona amada, pero no sólo por ella. Porque seré incapaz de relacionarme activamente con la persona amada si soy perezoso, si no estoy en un constante estado de conciencia, alerta y actividad. El dormir es la única situación apropiada para la inactividad; en el estado de vigilia no debe haber lugar para ella. La situación paradójica de multitud de individuos hoy en día es que están semidormidos durante el día, y semidespiertos cuando duermen o cuando quieren dormir. Estar plenamente despierto es la condición para no aburrirnos o aburrir a los demás —y sin duda no estar o no ser aburrido es una de las condiciones fundamentales para amar—. Ser activo en el pensamiento, en el sentimiento, con los ojos y los oídos, durante todo el día, evitar la pereza interior, sea que ésta signifique mantenerse receptivo, acumular o meramente perder el tiempo, es condición indispensable para la práctica del arte de amar. Es una ilusión creer que se puede dividir la vida en forma tal que uno sea productivo en la esfera del amor e improductivo en las demás. La productividad no permite una tal división del trabajo. La capacidad de amar exige un estado de intensidad, de estar despierto, de acrecentada vitalidad, que sólo puede ser el resultado de una orientación productiva y activa en muchas otras esferas de la vida. Si no se es productivo en otros aspectos, tampoco se es productivo en el amor.

El examen del arte de amar no puede limitarse al dominio personal de la adquisición y desarrollo de las características y aptitudes que hemos descrito en este capítulo. Está inseparablemente relacionado con el dominio social. Si amar significa tener una actitud de amor hacia todos, si el amor es un rasgo caracterológico, necesariamente debe existir no sólo en las relaciones con la propia familia y los amigos, sino también para con los que están en contacto con nosotros a través del trabajo, los negocios, la profesión. No hay una «división del trabajo» entre el amor a los nuestros y el amor a los ajenos. Por el contrario, la condición para la existencia del primero es la existencia del segundo. Comprender esto seriamente sin duda implica un cambio bastante drástico con respecto a las relaciones sociales acostumbradas. Si bien se habla mucho del ideal religioso del amor al prójimo, nuestras relaciones están de hecho determinadas, en el mejor de los casos, por el principio de *equidad*. Equidad significa no engañar ni hacer trampas en el intercambio de artículos y servicios, o en el intercambio de sentimientos. «Te doy tanto como tú me das», así en los bienes materiales como en el amor, es la máxima ética predominante en la sociedad capitalista. Hasta podría decirse que el desarrollo de una ética de la equidad es la contribución ética particular de la sociedad capitalista.

Las razones de tal situación radican en la naturaleza misma de la sociedad capitalista. En las sociedades precapitalistas, el intercambio de mercaderías estaba determinado por la fuerza directa, por la tradición, o por lazos personales de amor o amistad. En el capitalismo, el factor que todo lo determina en el intercambio es el mercado. Se trate del mercado de productos, del laboral o del de servicios, cada persona trueca lo que tiene para vender por lo que quiere conseguir en las condiciones del mercado, sin recurrir a la fuerza o al fraude.

La ética de la equidad se presta a confusiones con la ética de la Regla Dorada. La máxima «haz a los demás lo que quisieras que te hicieran a ti» puede interpretarse como «sé equitativo en tu intercambio con los demás». Pero, en realidad, se formuló originalmente como una versión popular del «Ama a tu prójimo como a ti mismo» bíblico. Por cierto, la norma judeo-cristiana de amor fraternal es totalmente diferente de la ética de la equidad. Significa amar al prójimo, es decir, sentirse responsable por él y uno con él, mientras que la ética equitativa significa no sentirse responsable y unido, sino distante y separado; significa respetar los derechos del prójimo, pero no amarlo. No es un accidente el que la Regla Dorada se haya convertido en la más popular de las máximas religiosas actuales; obedece ello a que es susceptible de interpretarse en términos de una ética equitativa que todos comprenden y están dispuestos a practicar. Pero la práctica del amor debe comenzar por reconocer la diferencia entre equidad y amor.

Aquí, sin embargo, surge un importante problema. Si toda nuestra organización social y económica está basada en el hecho de que cada uno trate de conseguir ventajas para sí mismo, si está regida por el principio del egotismo atemperado sólo por el principio ético de equidad, ¿cómo es posible hacer negocios, actuar dentro de la estructura de la sociedad existente y, al mismo tiempo, practicar el amor? ¿No implica lo segundo renunciar a todas las preocupaciones seculares y compartir la vida de los más pobres? Los monjes cristianos y personas tales como Tolstoy, Albert Schweitzer y Simone Weil han planteado y resuelto ese problema en forma radical. Otros[4] comparten la opinión de que en nuestra sociedad existe una incompatibilidad básica entre el amor y la vida secular normal. Llegan a la conclusión de que hablar de amor en el presente sólo significa participar en el fraude general; sostienen que sólo un mártir o un loco puede amar en el mundo actual, y, por lo tanto, que todo examen del amor no es otra cosa que una prédica. Este respetable punto de vista se presta fácilmente a una racionalización del cinismo. En realidad, es implícitamente compartido por la persona corriente que siente: «me gustaría ser un buen cristiano, pero tendría que morirme de hambre si lo tomara en serio». Este radicalismo resulta un nihilismo moral. Tanto los «pensadores radicales» como la persona corriente son autómatas carentes de amor, y la única diferencia entre ellos consiste en que la segunda no tiene conciencia de serlo, mientras que los primeros conocen y reconocen la «necesidad histórica» de ese hecho.

Tengo la convicción de que la respuesta a la absoluta incompatibilidad del amor y la vida «normal» sólo es correcta en un sentido abstracto. El *principio* sobre el que se basa la sociedad capitalista y el *principio* del amor son incompatibles. Pero la sociedad moderna en su aspecto concreto es un fenómeno complejo. El vendedor de un artículo inútil, por ejemplo, no puede operar económicamente sin mentir; un obrero especializado, un químico o un médico pueden hacerlo. De manera similar, un granjero, un obrero, un maestro y muchos tipos de hombres de negocios pueden tratar de practicar el amor sin de-

---

[4] Cf. el artículo de Herbert Marcuse, «The Social Implications of Psychoanalytic Revisionism», *Dissent,* Nueva York, verano de 1956.

jar de funcionar económicamente. Aun si aceptamos que el
principio del capitalismo es incompatible con el principio del
amor, debemos admitir que el «capitalismo» es, en sí mismo,
una estructura compleja y continuamente cambiante, que incluso permite una buena medida de disconformidad y libertad
personal.

Con esa afirmación, sin embargo, no deseo significar que
podemos esperar que el sistema social actual continúe indefini-
damente, y, al mismo tiempo, confiar en la realización del ideal
de amor hacia nuestros hermanos. La gente capaz de amar, en
el sistema actual, constituye por fuerza la excepción; el amor
es inevitablemente un fenómeno marginal en la sociedad occidental contemporánea. No tanto porque las múltiples ocupa-
ciones no permiten una actitud amorosa, sino porque el espíritu de una sociedad dedicada a la producción y ávida de artículos es tal que sólo el no conformista puede defenderse de
ella con éxito. Los que se preocupan seriamente por el amor
como única respuesta racional al problema de la existencia humana deben, entonces, llegar a la conclusión de que para que el
amor se convierta en un fenómeno social y no en una excepción individualista y marginal, nuestra estructura social necesita cambios importantes y radicales. Dentro de los límites de
este libro, sólo podemos sugerir la dirección de tales cambios[5].
Nuestra sociedad está regida por una burocracia administrativa, por políticos profesionales; los individuos son motivados
por sugestiones colectivas; su finalidad es producir más y consumir más, como objetivos en sí mismos. Todas las actividades
están subordinadas a metas económicas, los medios se han
convertido en fines; el hombre es un autómata —bien alimentado, bien vestido, pero sin interés fundamental alguno en lo
que constituye su cualidad y función peculiarmente humana—.

[5] En mi libro *Psicoanálisis de la sociedad contemporánea,* México, Fondo
de Cultura Económica, 1956, procuré examinar detalladamente ese problema.

Si el hombre quiere ser capaz de amar, debe colocarse en su lugar supremo. La máquina económica debe servirlo, en lugar de ser él quien esté a su servicio. Debe capacitarse para compartir la experiencia, el trabajo, en vez de compartir, en el mejor de los casos, sus beneficios. La sociedad debe organizarse en tal forma que la naturaleza social y amorosa del hombre no esté separada de su existencia social, sino que se una a ella. Si es verdad, como he tratado de demostrar, que el amor es la única respuesta satisfactoria al problema de la existencia humana, entonces toda sociedad que excluya, relativamente, el desarrollo del amor, a la larga perece a causa de su propia contradicción con las necesidades básicas de la naturaleza del hombre. Hablar del amor no es «predicar», por la sencilla razón de que significa hablar de la necesidad fundamental y real de todo ser humano. Que esa necesidad haya sido oscurecida no significa que no exista. Analizar la naturaleza del amor es descubrir su ausencia general en el presente y criticar las condiciones sociales responsables de esa ausencia. Tener fe en la posibilidad del amor como un fenómeno social y no sólo excepcional e individual, es tener una fe racional basada en la comprensión de la naturaleza misma del hombre.